DER ZWEITE WELTKRIEG

R. G. GRANT

Toucan Books:
Cheflektorat Jane Chapman
Lektorat Caroline Saltissi
Lektoratsassistenz Hannah Bowen, Amy Smith
Chefbildlektorat Thomas Keenes
Bildlektorat Mike Cornwell, Ralph Pitchford,
Steve Woosnam-Savage

DK:
Fachliche Beratung Terry Charman
Lektorat Victoria Heyworth-Dunne, Clare Nottage
Bildlektorat Jacqui Swan
Cheflektorat Linda Esposito
Chefbildlektorat Diane Thistlethwaite
Projektkoordination Andrew Macintyre
Programmleitung Laura Buller
Bildrecherche Louise Thomas
Kartografie Ed Merritt, John Plumer
Umschlaggestaltung Natasha Rees,
Sophia Tampakopoulos Turner
Herstellung Angela Graef, Andy Hilliard

Für die deutsche Ausgabe:
Programmleitung Monika Schlitzer
Projektbetreuung Martina Glöde
Herstellungsleitung Dorothee Whittaker
Herstellung und Covergestaltung Anna Strommer

Titel der englischen Originalausgabe:
World War II
© Dorling Kindersley Limited, London, 2008
Ein Unternehmen der Penguin Random House Group
Alle Rechte vorbehalten

© der deutschsprachigen Ausgabe by
Dorling Kindersley Verlag GmbH, München, 2009
Alle deutschsprachigen Rechte vorbehalten

In Zusammenarbeit mit dem Imperial War Museum in London
www.iwm.org.uk

Übersetzung Karin Fellner, Hainer Kober
Lektorat Claudia Göbel

ISBN 978-3-8310-1431-6

Colour Reproduction by Colourscan, Singapore
Printed and bound by Neografia, Slovakia

Besuchen Sie uns im Internet
www.dorlingkindersley.de

DER ZWEITE WELTKRIEG

Ursachen, Ereignisse und Auswirkungen

R. G. Grant

DAS KRIEGSENDE

NACH DEM KRIEG

INHALT

*E*S IST FÜR JEDE NEUE GENERATION grundlegend wichtig, etwas über die Hintergründe und Konflikte des Zweiten Weltkriegs zu erfahren. Denn er beeinflusste das Leben der Menschen weltweit und prägte unsere heutige Gesellschaft stärker als jedes andere Ereignis.

Mit seinem umfangreichen Bildmaterial und den Stimmen von Zeitzeugen will dieses Buch die Kriegsereignisse anschaulich darstellen und dabei stets das Leid der Soldaten, der ethnisch, religiös oder in anderer Hinsicht

Verfolgten und der Zivilbevölkerung mit berücksichtigen. Es bietet eine Übersicht über die Kriegsgegner und -geschehnisse und beleuchtet gleichzeitig die Erfahrungen einzelner Menschen.

Die Landung der Alliierten in der Normandie, die Atombombenabwürfe über Hiroshima und Nagasaki sowie die deutsche Niederlage in Stalingrad werden als Wendepunkte des Kriegs genau untersucht. Ebenso werden Themen wie der Kampf der Zivilbevölkerung ums Überleben dargestellt, der Umgang mit den Besatzungsmächten sowie Flucht und Vertreibung.

Das Buch eignet sich als Ergänzung zum Unterrichtsstoff über den Zweiten Weltkrieg. Darüber hinaus bietet es jungen Lesern die Möglichkeit, ihre Groß- und Urgroßeltern besser zu verstehen. Deren Lebenskämpfe scheinen der fernen Vergangenheit anzugehören, sie liegen in Wirklichkeit aber noch nicht weit zurück.

VORWORT

DER WEG IN DEN KRIEG

DER ZWEITE WELTKRIEG hatte mit seinen zahlreichen Konflikten auf der ganzen Erde verheerende Auswirkungen. Begonnen wurde er von Deutschland unter Adolf Hitler. Mit ihm waren jene Diktatoren verbunden, die wie er die gesellschaftlichen Spannungen nach dem Ersten Weltkrieg und die Wirtschaftskrise genutzt hatten, um an die Macht zu kommen. Adolf Hitler (Deutsches Reich), Benito Mussolini (Italien) sowie die japanischen Militärführer schreckten nicht davor zurück, ihre Ziele mit Gewalt durchzusetzen.

Aufmarsch der Nationalsozialisten
Die Hakenkreuzfahne der Nationalsozialistischen Partei Deutschlands (NSDAP) wird 1933 bei einem Aufmarsch durch Nürnberg getragen. Die aggressive deutsche Außenpolitik unter Adolf Hitler und der NSDAP führte direkt zum Krieg.

28. Juli
Österreich-Ungarn erklärt Serbien den Krieg: Beginn Erster Weltkrieg.

3. März
Frieden von Brest-Litowsk

6. April
Die USA erklären Deutschland den Krieg.

3./4. Oktober
Deutsches Waffenstillstandsangebot an USA

1. Januar
Gründung der Kommunistischen Partei Deutschlands (KPD)

11. Februar
Der Sozialdemokrat Friedrich Ebert wird deutscher Reichspräsident.

23. März
Benito Mussolini gründet in Italien die erste faschistische Bewegung.

29. Juli
Adolf Hitler wird Vorsitzender der NSDAP.

28. Oktober/25. November
Sieg des Faschismus in Italien, Mussolini wird Staatsoberhaupt mit diktatorischen Vollmachten.

11. Januar
Französische und belgische Truppen besetzen das Ruhrgebiet, um Deutschland zur Erfüllung der Reparationsverpflichtungen zu zwingen.

27. August
Briand-Kellogg-Pakt: Elf Nationen ächten den Krieg.

| 1914 | 1917 | 1918 | 1919 | 1920 | 1921 | 1922 | 1923 | 1925 | 1928 | 1929 |

1.–4. August
Deutschland erklärt Russland und Frankreich den Krieg und marschiert in Belgien ein.

23. August
Japan erklärt Deutschland den Krieg.

7. November
In der Revolution übernehmen Bolschewiken (Kommunisten) die russische Regierung.

4.–9. November
Revolution in Deutschland, Abschaffung der Monarchie, Ausrufung der Republik

11. November
Deutschland erkennt Waffenstillstandsbedingungen zum Ende des Ersten Weltkriegs an.

30. November
Frauenwahlrecht in Deutschland

10. Januar
Der Völkerbund trifft sich zum ersten Mal.

31. Juli
Weimarer Verfassung: Deutschland wird parlamentarische Demokratie.

28. Juni
Unterzeichnung des Versailler Friedensvertrags, Feststellung der deutschen Kriegsschuld. Viele Deutsche halten den Vertrag für ungerecht.

30. Dezember
Gründung der Sowjetunion

9. November
In München misslingt Hitlers Putschversuch gegen die Regierung.

3. Januar
Mussolini errichtet in Italien eine Diktatur.

24.–29. Oktober
Der Zusammenbruch der Aktienkurse an der New Yorker Börse ist Auftakt einer weltweiten Wirtschaftskrise.

14. September
Die NSDAP wird bei den deutschen Reichstagswahlen mit 18,2 % der Stimmen zweitstärkste Fraktion nach der SPD.

8. November
Franklin D. Roosevelt wird Präsident der USA.

26. Januar
Deutsch-polnischer Nichtangriffspakt

16. März
Hitler rüstet die Reichswehr auf und verstößt damit gegen den Versailler Vertrag.

7. März
Die Rheinlandbesetzung durch deutsche Truppen bricht mit dem Versailler Vertrag.

7. Juli
Japan marschiert in China ein.

11. März
Deutsche Truppen marschieren in Österreich ein, am 13. März „Anschluss" Österreichs an das Deutsche Reich.

28. April
Deutschland kündigt Nichtangriffspakt mit Polen.

22. Mai
Militärbündnis zwischen Deutschland und Italien („Stahlpakt")

15. Juni
Abschluss der Vorbereitungen des Oberkommandos des Heeres für den deutschen Überfall auf Polen

| 1930 | 1931 | 1932 | 1933 | 1934 | 1935 | 1936 | 1937 | 1938 | 1939 |

18.–19. September
Japanische Truppen besetzen die Mandschurei (Nordchina).

30. Januar
Hitler wird deutscher Reichskanzler.

3. Oktober
Der Angriff Italiens auf Äthiopien wird vom Völkerbund geduldet.

5. November
Hitler stellt den deutschen Wehrmachtsgenerälen und dem Außenminister seine Expansionspläne vor (Hoßbach-Niederschrift).

29.–30. September
Das Münchner Abkommen zwischen GB, Frankreich, Italien und Deutschland zwingt die Tschechoslowakei dazu, das Sudetenland an Deutschland abzutreten.

1. September
Beginn des Zweiten Weltkriegs mit dem Einmarsch deutscher Truppen in Polen. GB und Frankreich erklären Deutschland am 3. September den Krieg.

2. August
Hitler erklärt sich zum „Führer" des „Dritten Reichs".

17. Juli
Putsch General Francos, Beginn des Spanischen Bürgerkriegs (bis 1939)

13. Dezember
Japanische Truppen ermorden Hunderttausende Bewohner der chinesischen Stadt Nanking.

23. August
Nichtangriffspakt zwischen Deutschland und der UdSSR mit Plan zur Aufteilung Polens

9

ERSTER WELTKRIEG UND VERSAILLER VERTRAG

DER ERSTE WELTKRIEG dauerte von 1914–1918 und wurde großteils in Europa ausgefochten. Er forderte mindestens 10 Mio. Todesopfer und endete mit der Niederlage Deutschlands und der Auflösung der deutschen und der österreichisch-ungarischen Monarchien. Die meisten Menschen hofften, dass damit alle Kriege beendet seien und ein dauerhafter Frieden folgen würde. Viele Deutsche lehnten den 1919 unterzeichneten Friedensvertrag von Versailles als ungerecht ab.

Grabenkrieg
Im Ersten Weltkrieg kämpften Frankreich, Großbritannien, Russland, Italien und die USA gegen Deutschland und Österreich-Ungarn. Die Soldaten kämpften unter schrecklichen Bedingungen in Schützengräben mit Maschinengewehren, Handgranaten und Giftgas. Sie litten unter Ungeziefer und Krankheiten, die sich aufgrund unhygienischer Bedingungen schnell verbreiteten.

Friedenskonferenz
US-Präsident Woodrow Wilson (rechts), der französische Ministerpräsident Georges Clemenceau (Mitte) und der britische Premierminister David Lloyd George trafen sich 1919 in Paris zur Versailler Friedenskonferenz. Wilson träumte von einem demokratischen Europa, das Konflikte mithilfe des Völkerbundes friedlich löste. Elsass-Lothringen sollte wieder zu Frankreich gehören, er wollte ein unabhängiges Polen mit Zugang zur Ostsee. Clemenceau und Lloyd George wollten ihre Länder vor künftigen deutschen Angriffen schützen.

Verbitterte Deutsche
Der Erste Weltkrieg hatte schwerwiegende Folgen, besonders für Deutschland, das sich im November 1918 geschlagen geben musste. Millionen deutscher Soldaten waren gefallen, verwundet oder in Kriegsgefangenschaft. Viele Deutsche wollten die Niederlage nicht wahrhaben. Sie behaupteten, treulose Politiker und Aufrührer seien dem Heer in den Rücken gefallen.

Versailler Friedensvertrag

Die Bedingungen des Friedensvertrags wurden von den Siegern bestimmt und Deutschland musste sie annehmen. Die Deutschen waren besonders empört über den Kriegsschuldartikel, der ihnen die Verantwortung für den Kriegsausbruch gab. Dort wurde festgelegt, dass sie v. a. an Frankreich und Großbritannien hohe Wiedergutmachungszahlungen (Reparationen) leisten mussten. Zusätzlich durfte Deutschland nur ein kleines Heer haben und musste einige Gebiete abtreten, andere wurden von fremden Truppen besetzt.

Neue Karte Europas

Durch den Ersten Weltkrieg verschoben sich die europäischen Grenzen. Das russische, das deutsche und das österreichisch-ungarische Kaiserreich zerfielen, sodass neue Staaten entstanden: Polen, Jugoslawien, die Tschechoslowakei, Finnland, Estland, Lettland und Litauen. Deutschland verlor ein Achtel seines vorherigen Gebiets, viel davon an Polen. Auch Elsass-Lothringen, das Deutschland sich 1871 von Frankreich angeeignet hatte, musste abgetreten werden. Das Russische Reich wurde zur Sowjetunion (UdSSR), verlor aber Gebiete an Polen und die neuen baltischen Staaten.

Wertloses Geld

1923 entschied die deutsche Regierung, sie könne keine Reparationen leisten. Daraufhin entsandten Frankreich und Belgien Truppen ins Ruhrgebiet, um die eingeforderten Zahlungen zu erzwingen. Durch die übermäßige Inflation verlor das deutsche Geld fast seinen gesamten Wert. 100 000 Reichsmark (siehe Bild) waren nur so viel wert wie 1 US-Dollar. Viele Deutsche sahen den Versailler Vertrag als Ursache dieser Krise.

VÖLKERBUND

Der Völkerbund war Vorgänger der heutigen Vereinten Nationen (UNO). Er trat 1920 mit 42 Gründungsmitgliedern zum ersten Mal zusammen. Sein Ziel war die friedliche Konfliktlösung durch Verhandlungen. Die Mitgliedsnationen sollten gemeinsam gegen ein Land, das Krieg führte, vorgehen. Die USA traten dem Völkerbund nie bei, weil der US-Kongress befürchtete, in fremde Kriege verwickelt zu werden. Deutschland und die Sowjetunion wurden zunächst nicht als Mitglieder zugelassen, 1926 trat Deutschland schließlich bei. 1934, kurz nach dem Austritt Deutschlands, wurde die UdSSR aufgenommen.

11

Faschismus in Italien

Nach dem Ersten Weltkrieg, in dem Benito Mussolini als Soldat gekämpft hatte, gründete er die faschistische Bewegung, deren Mitglieder wie in der Armee Uniformen trugen. Er versprach dem Land Ordnung, Einheit und militärische Erfolge. Seine Politik sprach viele Italiener an, die eine kommunistische Revolution fürchteten und sich darüber ärgerten, dass Italien nicht vom Krieg profitierte, obgleich es zu den Siegern gehörte.

FASCHISMUS IN EUROPA

GROSSBRITANNIEN, FRANKREICH UND DIE USA, die Siegermächte des Ersten Weltkriegs, waren Demokratien mit gewählten Parlamenten und gesetzlich verankerten Bürgerrechten. In vielen Ländern erstarkten um 1920 und 1930 antidemokratische Bewegungen. Italien war unter den ersten, die von einem Diktator beherrscht wurden – von Benito Mussolini, dem Gründer der Faschistischen Partei. Wirtschaftskrise und Massenarbeitslosigkeit begünstigten das Ziel des NSDAP-Führers Adolf Hitler, die demokratische Regierung in Deutschland zu stürzen.

Hitler und Ludendorff

Nach seinem Einsatz als Soldat im Ersten Weltkrieg wurde Hitler im Juli 1921 Anführer der NSDAP. 1923 versuchte er gemeinsam mit dem „Kriegshelden" General Ludendorff (links) durch einen Putsch an die Macht zu kommen. Doch beim Münchner „Marsch auf die Feldherrnhalle" wurden Hitler und seine Anhänger von der Polizei gestoppt. Hitler wurde vor Gericht gestellt und kam für neun Monate ins Gefängnis.

Strenge Ordnung

Mussolini kam 1922 in Italien an die Macht. Er ersetzte allmählich die parlamentarische Demokratie durch eine Einparteienherrschaft und erlangte diktatorische Vollmachten. Viele Italiener befürworteten damals eine starke Regierung, die für Ordnung sorgte und eine glänzende Zukunft versprach. Jegliche Opposition wurde unterdrückt. Sogar Kinder waren Mitglieder in den faschistischen Organisationen Italiens – sie trugen mit Stolz Uniformen und bewunderten den *Duce*.

Mein Kampf

Der öffentliche Rummel um seinen Prozess machte Hitler bekannt. Im Gefängnis schrieb er die Autobiografie *Mein Kampf*, in der er verkündete, die Deutschen müssten mit dem Versailler Vertrag brechen und durch die Unterwerfung „niedriger" slawischer Völker „Lebensraum" in Osteuropa erobern. Außerdem machte Hitler die Juden für den Niedergang Deutschlands verantwortlich.

Hakenkreuz

Viele arbeitslose junge Männer schlossen sich Hitlers NSDAP an. Als uniformierte Schläger formten sie Sturmtruppen, die Hitlers politische Gegner niederschlugen. Das national-sozialistische Hakenkreuz trugen sie auf Armbinden.

Im Januar 1933 waren in Deutschland insgesamt rund 6 Millionen Menschen arbeitslos – fast jeder dritte Erwerbstätige.

Massenarbeitslosigkeit

Um 1925 erholte sich die deutsche Wirtschaft von den Folgen des Ersten Weltkriegs, auch dank Geldern aus den wirtschaftlich starken USA. In dieser Zeit gewann Hitler nur wenige Anhänger. 1929 kam es jedoch zu einer Weltwirtschaftskrise und viele Menschen wurden arbeitslos. Wähler begannen die Nationalsozialisten stärker zu unter-stützen. Wahlplakate wie dieses behaupteten, Hitler sei die „letzte Hoffnung" in der Krise.

Hitler wird Reichskanzler

Zwischen 1930 und 1932 gab es drei Parlamentswahlen in Deutschland. In seinen öffent-lichen Reden gab Hitler dem Versailler Vertrag die Schuld an den Missständen und versprach, dass eine NSDAP-Regierung Deutschland zu neuer Größe führen würde. 1932 war Hitler der bekannteste deutsche Politiker, aber die NSDAP erhielt im Parlament keine Mehr-heit. Reichspräsident Hindenburg ernannte Hitler am 30. Januar 1933 zum Reichskanzler, der ohne parlamentarische Mehrheit eine Koalitionsregierung mit der Deutschnationalen Volkspartei bildete.

DIE NS-HERRSCHAFT

UM IN DEUTSCHLAND das „Dritte Reich" (1933–1945) zu errichten, schalteten die Nationalsozialisten (NS) unter Hitler alle politischen Gegner aus. Alle Parteien außer der NSDAP wurden verboten und Andersdenkende gefangen genommen. Als Reichspräsident Hindenburg 1934 starb, erklärte Hitler sich zum „Führer". Er vergrößerte das Heer mit dem Ziel, die im Ersten Weltkrieg verlorenen Gebiete für ein „Großdeutsches Reich" zurückzugewinnen.

Himmlers SS
Die Schutzstaffel (SS) wurde 1925 zum persönlichen Schutz Hitlers gegründet. Zunächst der Schutzabteilung (SA) unterstellt, war sie ab 1934 eine eigenständige halbmilitärische Organisation, die am Auf- und Ausbau der Konzentrationslager und später an Holocaust und Vernichtungskrieg beteiligt war. Der Elitestatus eines SS-Manns wurde unter anderem durch dessen schwarzen Ehrendolch betont.

Aufmarsch in Uniform
Die Nationalsozialisten inszenierten große Propagandaveranstaltungen wie die jährlichen Aufmärsche in Nürnberg, um die „Einheit des Volks" zu zeigen. Hier bezeugen uniformierte Truppen dem „Führer" ihren Respekt, der sie vom Balkon aus begutachtet.

ANTISEMITISMUS

Die Nationalsozialisten verfolgten und misshandelten Juden schon zu Beginn der NS-Herrschaft. Sie erließen Gesetze, die deutschen Juden verboten, bestimmte Berufe auszuüben. Sie schreckten Patienten jüdischer Ärzte und Kunden jüdischer Läden ab. Sie verbrannten Bücher jüdischer Autoren. Manchmal wurden Juden öffentlich gedemütigt und z. B. gezwungen, vor den Augen der Nachbarn niedrige Arbeiten zu verrichten oder im Schauwagen durch die Stadt zu fahren.

23.9.1933 Erster Spatenstich
23.9.1936 1000 km Autobahn fertig

Jungen wurden in der Hitlerjugend auf die Soldatenrolle vorbereitet. Hitler wollte sie „flink wie Windhunde, zäh wie Leder, hart wie Kruppstahl".

Arbeitsbeschaffung

In den ersten Jahren gewann das NS-Regime viele Anhänger, weil es ihm gelang, die Arbeitslosigkeit einzudämmen. In der Rüstungsindustrie, der schnell wachsenden Wehrmacht und beim Ausbau der Reichsautobahn entstanden neue Arbeitsplätze. Hitler ließ sich 1933 beim ersten Spatenstich für den Autobahnbau fotografieren.

Hitlerjugend

Die Nationalsozialisten legten großen Wert darauf, Jugendlichen ihr Weltbild einzuimpfen. Jungen kamen in die Hitlerjugend (HJ), Mädchen zum Bund deutscher Mädel (BDM). Ihnen wurde beigebracht, den „Führer" zu verehren und die Juden zu hassen. Die Kinder wurden ermuntert, ihre Eltern zu verraten, falls diese sich kritisch gegenüber dem NS-Regime äußerten.

„I. Die deutsche Armee muß in vier Jahren einsatzfähig sein.
II. Die deutsche Wirtschaft muß in vier Jahren kriegsfähig sein."

Aus Hitlers Denkschrift zum „Vierjahresplan", 1936

Nürnberg: Soldaten der Waffen-SS stehen bei einer Ansprache Hitlers auf einem NSDAP-Parteitag in Habt-Acht-Stellung.

DIE HALTUNG DER DEMOKRATIEN

DIE DEMOKRATIEN GROSSBRITANNIEN UND FRANKREICH reagierten zögerlich, als die Nationalsozialisten mit dem Versailler Vertrag brachen und das faschistische Italien aggressiver auftrat. Sie wollten einen Krieg verhindern und waren auch der Meinung, Deutschland sei zu hart behandelt worden. Einige Politiker begrüßten sogar ein starkes NS-Deutschland, weil sie hofften, Hitler würde Europa gegen die kommunistische Sowjetunion schützen. Der Völkerbund versäumte es, der faschistischen Politik entgegenzutreten, und ließ den Diktatoren viel Handlungsspielraum.

Gegen den Krieg
Um 1930 waren die meisten Menschen in Europa und Amerika gegen den Krieg eingestellt. Viele kannten das Buch *Im Westen nichts Neues* von Erich Maria Remarque, das den Krieg verdammte – ebenso seine Verfilmung. In einer Debatte an der Universität Oxford erklärten britische Studenten 1933, dass sie nicht für „König und Vaterland" kämpfen würden. Sogar Hitler trat öffentlich als Mann des Friedens auf, um einen breiten Rückhalt in der Bevölkerung zu erhalten.

Warnende Stimme
Der britische Abgeordnete Winston Churchill warnte vor der aggressiven deutschen Politik und forderte eine Aufrüstung der britischen Armee. Zuerst wurde er als Kriegstreiber beschimpft, später aber für seine richtige Vorhersage geehrt.

Neutrale USA
Die USA waren zu sehr mit der Wirtschaftskrise beschäftigt, um sich um Europa zu kümmern. Der US-Kongress verabschiedete die Neutralitätsgesetze, die Präsident Franklin D. Roosevelt daran hinderten, in Kriege anderer Länder einzugreifen.

Volksfront
1936 kam in Frankreich eine sozialistische, von Kommunisten unterstützte Regierung an die Macht – die Volksfront. Unter ihrem Ministerpräsidenten Léon Blum wollte sie den Widerstand gegen Hitler und Mussolini stärken. Aber die französische Bevölkerung war gespalten. Einige gaben sogar Hitler den Vorzug.

Stalin und die Sowjetunion

Die Sowjetunion, zu der u. a. Russland, die Ukraine und Weißrussland gehörten, hätte ein wichtiger Verbündeter im Kampf gegen Hitler sein können. Doch die Franzosen und Briten lehnten den dortigen Kommunismus ab. Hitler war ebenfalls gegen den Kommunismus, außerdem sah er alle slawischen Völker als „Untermenschen" an. Für Stalin, der in der Sowjetunion eine kommunistische Diktatur errichtet hatte, waren sowohl Hitler als auch die Demokratien Feinde des Kommunismus.

Die Achsenmächte

Obgleich Großbritannien und Frankreich den italienischen Einmarsch in Äthiopien nicht verhinderten, war Mussolini verärgert, weil sie ihn kritisiert hatten. Im Herbst 1936 unterschrieb er einen Freundschaftsvertrag mit Hitler und sprach von der „Achse Rom-Berlin". Deutschland und Italien galten nun als Achsenmächte.

Einmarsch Italiens in Äthiopien

1935 überfiel das faschistische Italien Abessinien (Äthiopien). Das afrikanische Land war Mitglied des Völkerbunds. Dieser verhängte halbherzig Sanktionen gegen Italien, die kurz nach Kriegsende wieder aufgehoben wurden. Italien eroberte Äthiopien in sieben Monaten.

DER SPANISCHE BÜRGERKRIEG

Franco
General Francisco Franco war Anführer der nationalistischen Putschisten. Er erhielt Unterstützung vom Militär, der katholischen Kirche und von der Falange, der faschistischen Partei Spaniens.

IM JULI 1936 ERHOBEN SICH spanische Generäle gegen die demokratische Republik Spanien und lösten einen Bürgerkrieg aus, der mehr als 500 000 Opfer forderte. Das nationalsozialistische Deutschland und das faschistische Italien wollten ihre militärische Stärke erproben und halfen den Putschisten. Die Sowjetunion unterstützte die Republikaner. Die Untätigkeit Frankreichs und Großbritanniens führte schließlich 1939 zur Niederlage der Republik. General Franco errichtete in Spanien eine Diktatur.

Legion Condor
Aus dem nationalsozialistischen Deutschland wurde zur Unterstützung Francos die Legion Condor geschickt. Sie bestand v. a. aus Verbänden der Luftwaffe mit Sturzkampfflugzeugen (Stukas), daneben Panzern und Flugabwehrkanonen (Flak). Der Spanische Bürgerkrieg diente deutschen Kampffliegern als Übungsfeld.

Internationale Brigaden
Rund 600 000 ausländische Freiwillige – davon etwa 5000 Deutsche – gingen nach Spanien, um die Republik gegen Franco zu verteidigen und den weltweiten Kampf gegen den Faschismus zu unterstützen. Sie wurden in internationale Brigaden eingeteilt, zu denen auch das Thälmann-Bataillon aus Deutschen, Schweizern und Österreichern gehörte.

Rund 10 000 Spanier wurden im Bürgerkrieg bei Bombenangriffen getötet – die meisten durch die deutsche Legion Condor.

Ermordung von Gefangenen

Massaker gehörten auf beiden Seiten zur Kriegspraxis. Über 100 000 republikanische Soldaten und Zivilisten wurden im Spanischen Bürgerkrieg von Nationalisten gefangen genommen und erschossen.

Guernica

Am 26. April 1937 bombardierten Kampfflugzeuge der Legion Condor das in Nordspanien gelegene Guernica. Sie zerstörten einen Großteil der Stadt und töteten rund 1600 Zivilisten. Als Reaktion darauf entstanden in Spanien viele antifaschistische Bücher und Kunstwerke wie Pablo Picassos berühmtes Gemälde *Guernica*. Das Ausmaß der Verwüstung zeigte die Angriffsstärke der deutschen Luftwaffe.

Nationalistischer Sieg

Nach dem Sieg der Nationalisten im März 1939 sperrte das Franco-Regime unzählige Republikaner ein. Einige konnten nach Frankreich fliehen. Die Nationalisten veranstalteten in Madrid und anderen Städten Siegeszüge, denen ihre Anhänger mit dem faschistischen Gruß zujubelten.

Geteiltes China

Um 1930 stand Tschiang Kai-shek (links)
der nationalistischen Regierung Chinas
vor, doch kontrollierte er nur einen Teil
des Landes. Er wurde von lokalen Machthabern und kommunistischen Anhängern
Mao Tse-tungs bekämpft. Dieses politische
Gespaltensein Chinas bedeutete eine
Schwäche beim Angriff der Japaner.

Besetzung der Mandschurei

1931 besetzten japanische Truppen die
Mandschurei, ein Gebiet in Nordchina.
China wandte sich Hilfe suchend an den
Völkerbund, der jedoch untätig blieb. Pu Yi
wurde von Japan als Kaiser in „Mandschukuo"
eingesetzt, das so zu einem Marionettenstaat wurde.

KRIEG IN ASIEN

WÄHREND SICH DIE LAGE in Europa verschlechterte, brach in Asien der Krieg aus.
Seit dem späten 19. Jahrhundert war Japan das einzige nichtwestliche Land von
militärischer und wirtschaftlicher Bedeutung. Das viel größere China war innerlich
zerrüttet. Schon seit Jahren waren japanische Truppen auf chinesisches Gebiet vor-
gerückt, 1937 starteten sie jedoch den entscheidenden Angriff. Die japanische Armee
besetzte viele chinesische Gebiete, konnte aber keinen endgültigen Sieg erringen.

ANTI-KOMINTERN-PAKT

1936 unterschrieben Japan und das nationalsozialistische Deutschland einen
Vertrag zur Abwehr der Kommunistischen Internationale (Komintern). Die
Japaner erhofften deutsche Unterstützung gegen die kommunistische Sowjet-
union, die Ansprüche auf die Mandschurei erhob. Im Zweiten Weltkrieg
sollte dieser Pakt von entscheidender Bedeutung sein, denn er sorgte für eine
Verbindung des Pazifikkriegs mit dem Krieg in Europa.

Himmlischer Herrscher

Der japanische Kaiser Hirohito wurde von einigen wie ein Gott
verehrt, doch in Wirklichkeit regierte das Militär. Der Oberkomman-
deur der japanischen Streitkräfte, General Hideki Tojo, plante die
Eroberung Asiens, um für einen „Rassenkrieg" gegen die Weißen aus
dem Westen vorbereitet zu sein. Obgleich der Kaiser friedliebend
war, erschien er oft in Uniform, z. B. um die riesigen akustischen
Ortungsgeräte zu begutachten, die ein frühes Erkennen von Luftangriffen ermöglichen sollten.

Schlacht um Schanghai

Nach dem japanischen Einmarsch in China im Juli 1937 entbrannten die stärksten Kämpfe um die wichtige Hafenstadt Schanghai. Amerikaner und Europäer waren Augenzeugen des drei Monate andauernden Häuserkampfs, in dem Chinesen um jede Straße fochten. Japanische Bomben zerstörten einen Großteil der Stadt, doch für die Angreifer war der starke chinesische Widerstand ein Schock.

Angriff auf Nanking

Die japanische Armee marschierte im Dezember 1937 in der damaligen chinesischen Hauptstadt Nanking ein. In den folgenden Wochen verübten die Soldaten schreckliche Gräueltaten. Schätzungen zufolge ermordeten sie 300 000 Chinesen.

SOWJET-
UNION

MONGOLEI

Mandschukuo
(Mandschurei)

Harbin

Wladiwostok

Mukden (Schenjang)

*Japanisches
Meer*

Peking

KOREA

Tianjin
(Tientsin)

Seoul

Tokio

Kyoto

Xi'an

Kaifeng

*Gelbes
Meer*

JAPAN

CHINA

Nanking

PAZIFISCHER
OZEAN

Suzhou   Schanghai

Nanchang

*Ost-
chinesisches
Meer*

0 km   500   1000

Fuzhou

Xiamen

Taihoku (Taipeh)

Nanning   Guangzhou

Taiwan

Macau
(portugiesisch)   Hongkong (britisch)

FRANZÖSISCH-
INDOCHINA

*Südchinesisches
Meer*

Hainan

Ausdehnung Japans 1930–1939

- Japanisches Kaiserreich
- Japanische Einflusssphäre
- Japanische Eroberungen 1931–1933
- Japanische Eroberungen 1937–1939

Einmarsch in China

Die japanische Armee besetzte große Gebiete Nord- und Zentralchinas, doch Tschiang Kai-shek verlegte die nationalistische Regierung nach Südwesten und verweigerte Friedensverhandlungen. Auch Mao Tse-tungs kommunistische Anhänger bekämpften die japanischen Besatzer, denen ein aufreibender Krieg bevorstand.

Kolonialreiche in Gefahr

Frankreich, Großbritannien und die Niederlande besaßen große Kolonien in Asien, die USA auf den Philippinen. Die Ausdehnung des japanischen Kaiserreichs bedrohte ihre Macht. Die Engländer errichteten in Singapur einen neuen Flottenstützpunkt mit übergroßen Kanonen, die hier gereinigt werden. Aber sie wussten, dass sie den Japanern nicht gewachsen wären, wenn sie gleichzeitig einen Krieg in Europa führten.

DEUTSCHE AUSDEHNUNGSPOLITIK

ZWISCHEN 1936 UND 1938 verstieß Hitler mit seiner Ausdehnung des Deutschen Reichs erneut gegen den Versailler Vertrag. Er konnte seine Macht ohne eine einzige Kampfhandlung ausweiten. Der britische Premierminister Neville Chamberlain setzte auf eine Politik der Beschwichtigung. Er hoffte, Hitler würde sich zufrieden geben, wenn er die deutschsprachigen Gebiete rund um das Deutsche Reich erhielte. Doch Hitler wollte mehr.

Besetzung des Rheinlands

Der Versailler Vertrag verbot die Stationierung deutscher Truppen im Rheinland an der Grenze zu Belgien und Frankreich. Im März 1936 sandte Hitler trotzdem deutsche Soldaten dorthin. Hätten Frankreich und Großbritannien militärisch reagiert, hätte Hitler die Truppen zurückziehen müssen, denn Deutschland war für einen Krieg noch nicht bereit. Aber die Demokratien ließen ihn gewähren.

Der „Anschluss" Österreichs

Im März 1938 benutzte Hitler eine politische Krise in Österreich als Vorwand für den Einmarsch deutscher Truppen. Viele Österreicher begrüßten den sogenannten „Anschluss" an das Deutsche Reich. Sie jubelten Hitler zu, als er durch die Hauptstadt Wien fuhr. Umgehend begann die grausame Verfolgung der österreichischen Juden.

Ausdehnung des Deutschen Reichs 1936–1939

- Deutsches Reich Anfang 1936
- Gebietsvergrößerung bis Ende März 1939

Karte:

Nordsee
Ostsee
DÄNEMARK
MEMEL (deutsche Aneignung März 1939)
FREIE STADT DANZIG
LITAUEN
DEUTSCHES REICH (OSTPREUSSEN)
NIEDERLANDE
Hamburg
POLEN
Berlin
BELGIEN
DEUTSCHES REICH
Breslau
LUXEMBURG
ENTMILITARISIERTE ZONE RHEINLAND (deutsche Besetzung März 1936)
SUDETENLAND (deutsche Aneignung Oktober 1938)
Prag
REICHSPROTEKTORAT BÖHMEN UND MÄHREN (deutsche Aneignung März 1939)
FRANKREICH
Nürnberg
Stuttgart
München
LIECHTENSTEIN
Wien
SLOWAKEI
SCHWEIZ
ÖSTERREICH („Anschluss" März 1938)
ITALIEN
UNGARN
JUGOSLAWIEN

0 km 100 200 300

Deutsche Ausdehnung

Nach dem „Anschluss" Österreichs und des Sudetenlands (siehe Karte) zerschlugen die Deutschen im Folgejahr 1939 die Tschechoslowakei und nahmen fast das gesamte Gebiet ein. Auch die Stadt Memel in Litauen wurde dem Reich angegliedert.

Sudetendeutsche

Nach Österreich wollte Hitler das Sudetenland, ein Gebiet der Tschechoslowakei, angliedern. Die Nationalsozialisten stachelten die Sudetendeutschen zu Protesten gegen die tschechoslowakische Regierung an. Hitler begann mit Kriegsvorbereitungen gegen die Tschechoslowakei.

Chamberlains Beschwichtigungspolitik

Als Hitler den Druck auf die Tschechoslowakei erhöhte, beschloss der britische Premierminister Chamberlain, mit ihm zu verhandeln, und traf ihn in Berchtesgaden. Chamberlain war im Rahmen seiner Appeasement- oder Beschwichtigungspolitik bereit, die Tschechoslowakei zur Abtretung des Sudetenlands zu drängen. Doch je mehr Zugeständnisse Hitler erhielt, desto mehr forderte er.

Kriegsvorbereitungen

Hitler war zur Eroberung des Sudetenlands entschlossen. Die Beschwichtigungspolitik war gescheitert. Die Demokratien begannen mit Kriegsvorbereitungen und hoben Schutzgräben zur Verteidigung gegen die gefürchteten deutschen Luftangriffe aus.

Münchner Abkommen

Ende September 1938 fand in München auf Vermittlung Mussolinis ein Treffen von britischen, französischen und deutschen Politikern statt. Ziel war es, den von Hitler geplanten Krieg zu verhindern. Die Tschechoslowakei sah sich von ihren Verbündeten verraten und zur Einwilligung in Hitlers Forderungen gezwungen.

„Frieden für unsere Zeit"

Chamberlain kam triumphierend mit dem unterschriebenen Freundschaftsabkommen aus Deutschland zurück. Bei seiner Ankunft in England zeigte er dieses Papier herum und meinte, er habe damit erfolgreich den „Frieden für unsere Zeit" gesichert.

KURZ VOR KRIEGSBEGINN

DAS MÜNCHNER ABKOMMEN 1938 verhinderte zwar vorerst einen Krieg, doch die Bedrohung wurde bald deutlich – die brutale Behandlung der Juden durch die Nationalsozialisten ließ viele an der Vertrauenswürdigkeit Hitlers zweifeln. Die Deutschen besetzten im Frühjahr 1939 Prag; im August schlossen Deutschland und die Sowjetunion einen Nichtangriffspakt. Damit war die Beschwichtigungspolitik gescheitert. Großbritannien und Frankreich beschlossen, Polen gegen einen möglichen deutschen Einmarsch zu verteidigen. Hitler wusste, dass ihm bei einem Angriff auf Polen diese beiden Mächte den Krieg erklären würden.

Novemberpogrome
Am 9. und 10. November 1939 brannten Nationalsozialisten in ganz Deutschland Synagogen nieder, zerstörten jüdische Geschäfte und griffen Juden an. Diese Pogrome wurden unter dem verharmlosenden Begriff „Reichskristallnacht" bekannt.

Aufteilung der Tschechoslowakei
Gemäß dem Münchner Abkommen musste die Tschechoslowakei ihr Grenzgebiet mit mehrheitlich deutscher Bevölkerung (Sudetendeutsche) an Deutschland abtreten. Aus der Slowakei wurde 1939 ein von Deutschland abhängiger eigener Staat. Rest-Tschechien machte Deutschland zum Reichsprotektorat Böhmen und Mähren. Die Westmächte ignorierten bei der Aufteilung die Sowjetunion – auch deshalb wandte sich Stalin Hitler zu.

Nach den Novemberpogromen wurden rund 30 000 Juden in Konzentrationslager verschleppt.

Amerikanische Neutralität
US-Präsident Roosevelt verurteilte die Novemberpogrome in Deutschland. Er war über den Machtzuwachs der Nationalsozialisten besorgt, doch waren ihm durch die Neutralitätsgesetze die Hände gebunden. Danach durften die USA sich nicht in auswärtige Konflikte einmischen.

Stahlpakt

Mussolini marschierte im April 1939 in Albanien ein, aber er wusste, dass seine Truppen nicht stark genug für einen Krieg gegen Großbritannien und Frankreich waren. Im Mai unterzeichnete er ein Bündnis mit Deutschland, den Stahlpakt. Er versuchte jedoch, Hitler einen europäischen Krieg auszureden.

Hitler-Stalin-Pakt

Frankreich hatte bereits 1935 einen Beistandspakt mit der Sowjetunion geschlossen. Diese bot Großbritannien am 18. April 1939 eine Allianz mit Frankreich gegen Deutschland an. Doch die Verhandlungen scheiterten. Stattdessen schloss Stalin am 23. August 1939 einen Nichtangriffspakt mit Hitler.

DANZIG IST DEUTSCH

Der Polnische Korridor

Nach dem Ersten Weltkrieg wurde Danzig Freie Stadt unter Aufsicht des Völkerbunds. 95 % der Menschen sprachen Deutsch. Zwischen Danzig und dem Deutschen Reich lag der sogenannte Polnische Korridor, den Hitler für sich beanspruchte – es kam zur Eskalation. Hitler ließ einen polnischen Angriff auf den deutschen Sender Gleiwitz vortäuschen – ein Vorwand, um mit dem Angriff auf ein Munitionsdepot auf der Danziger Westerplatte den Überfall auf Polen und damit den Zweiten Weltkrieg zu beginnen.

Kriegserklärung

Deutsche Truppen marschierten am 1. September 1939 in Polen ein. Der britische und der französische Premierminister zögerten noch immer. Am 3. September erklärte Chamberlain Deutschland schließlich den Krieg und Frankreich zog nach.

WORLD WAR DECLARED (OFFICIAL)

DEUTSCHLAND TRIUMPHIERT

DIE ERSTEN BEIDEN Kriegsjahre brachten dem Deutschen Reich triumphale Erfolge. Nachdem Frankreich besiegt war, kämpfte Großbritannien unter der Führung Winston Churchills allein weiter – obwohl die britischen Städte schweren Bombenangriffen ausgesetzt waren. Mit dem Kriegseintritt Italiens wurden die Kämpfe auch auf den Mittelmeerraum und Nordafrika ausgedehnt. 1941 marschierte Hitler in die UdSSR ein und seine Armeen stießen bis an die Tore Moskaus vor. Trotz enormer Verluste kämpfte das sowjetische Volk weiter.

Balkankrieg
Der Balkanfeldzug vom 6.–17. April 1941 führte zur Besetzung des zu Jugoslawien gehörenden Serbien. Hier sieht man deutsche Soldaten in ein serbisches Dorf einrücken.

3. Juli
Vernichtung der vor Oran liegenden französischen Flotte durch die Briten

27. September
Dreimächtepakt zwischen Deutschland, Italien und Japan, der den Komintern-Pakt um militärische Zusammenarbeit ergänzte.

30. November
Die UdSSR fällt in Finnland ein; beginnt den Winterkrieg, der im März 1940 endet.

9. April
Deutschland besetzt Dänemark und Norwegen.

10. Juli
In der Luftschlacht um GB, die bis zum Oktober dauert, verhindert die Royal Air Force eine Lufthoheit der deutschen Luftwaffe.

1. September
Beginn des Zweiten Weltkriegs mit dem Einmarsch deutscher Truppen in Polen. GB und Frankreich erklären Deutschland am 3. September den Krieg.

10. Mai
Innerhalb von vier Tagen marschiert die Wehrmacht in die Benelux-Länder und Frankreich ein.

10. Juni
Italien erklärt England und Frankreich den Krieg.

1939

1940

27. September
Warschau kapituliert in der vierten Kriegswoche.

10. Mai
Winston Churchill wird britischer Premierminister.

22. Juni
Frankreich schließt unter Marschall Pétain einen Waffenstillstand mit Deutschland. Teilung des Landes in ein besetztes und ein unbesetztes Gebiet („Vichy"-Frankreich).

7. September
Die Luftwaffe bombardiert London und andere Städte. „The Blitz", wie die Briten die Angriffe nennen, dauerte bis 1941.

März
Der sowjetische Diktator Stalin befiehlt die Ermordung von rund 21000 polnischen Gefangenen.

27.–2. Juni
Evakuierung von rund 340000 alliierten Soldaten aus Dünkirchen, die dort von deutschen Truppen eingekesselt waren.

3. September
Die USA übergeben England 50 Zerstörer gegen Pachtung britischer Marine- und Luftwaffenstützpunkte.

14. November
Schwerer Bomben-
angriff auf Coventry

6. April
Deutscher Einmarsch in Jugoslawien
und Griechenland

9.–12. August
Churchill und Roosevelt
verständigen sich vor
Neufundland auf die
Atlantikcharta.

11. November
Britische Träger-
flugzeuge versenken
italienische Kampf-
schiffe im Hafen
von Tarent.

11./12. Februar
Das Deutsche Afrikakorps
unter Generalleutnant
Rommel landet in Nordafrika.

20. Mai–1. Juni
Deutsche Fallschirm-
jägertruppen werden
über Kreta abgesetzt
und bringen die Insel
in ihre Hand.

22. Juni
Hitler beginnt das
„Unternehmen
Barbarossa", den Angriff
auf die Sowjetunion.

29.–30. September
Mehr als 30 000 Juden
werden von SS-Einsatz-
gruppen bei Kiew (Babi
Jar) ermordet.

1941

5. Januar
Britische Truppen vertreiben
im Wüstenkampf die Italiener
aus Ägypten und kommen
bis Libyen.

17. April
Bedingungslose
Kapitulation
Jugoslawiens

12. Juli
GB und UdSSR
unterzeichnen gegen-
seitigen Beistands-
vertrag im Kampf gegen
Deutschland.

8. September
Das sowjetische
Leningrad (heute
St. Petersburg) wird
bombardiert und bis
zur vollständigen Befrei-
ung im Januar 1944
belagert. 1 Mio. Zivilisten
kommen ums Leben.

5. November
IS-Präsident Roosevelt
wird zum zweiten Mal
wiedergewählt.

11. März
Präsident Roosevelt unterzeichnet
Pacht-und-Leih-Gesetz, GB
kann in den USA auf Kredit
Kriegsmaterial erwerben.

27. Mai
Das schwer getroffene Schlachtschiff Bismarck wird im Atlantik
versenkt, möglicherweise durch
die deutsche Besatzung selbst.

5. Dezember
Der deutsche Vormarsch wird
durch einen sowjetischen
Gegenangriff vor Moskau zum
Stehen gebracht.

ÜBERFALL AUF POLEN

ALS DEUTSCHLAND IM SEPTEMBER 1939 in Polen einmarschierte, ließen Großbritannien und Frankreich Polen im Stich. Auch ohne den Einfall der Sowjets am 17. September von Osten her hätten die Polen keine Aussicht auf erfolgreichen Widerstand gehabt. Nach vier Wochen kapitulierte Warschau, eine Gesamtkapitulation fand nicht statt. Das Deutsche Reich und die Sowjetunion teilten Polen unter sich auf. Direkt hinter der Front waren deutsche „Einsatzgruppen" nach Polen eingerückt, die mordeten und brandschatzten. Die große jüdische Volksgruppe wurde von den Nationalsozialisten fast ganz ausgerottet.

BLITZKRIEG

In Polen operierte die deutsche Wehrmacht nach völlig neuen taktischen Prinzipien: schneller Vormarsch unter Einsatz konzentrierter Feuerkraft. In diesem sogenannten Blitzkrieg griffen Sturzkampfflieger (Stukas) mit demoralisierendem Sirenengeheul in die Kämpfe ein. Panzerkeile, gefolgt von motorisierter Infanterie, durchbrachen die Verteidigungslinien und stießen weit vor. In den ersten beiden Kriegsjahren war diese neue Form der Kriegführung außerordentlich erfolgreich.

Wie ein Sturmwind
Die Wehrmacht marschierte am 1. September 1939 in Polen ein. Deutsche Soldaten entfernen hier gut gelaunt einen Schlagbaum. Solche Bilder dürfen nicht darüber hinwegtäuschen, dass der Überfall mit äußerster Brutalität vonstatten ging – ob in der Luft oder am Boden.

Polnische Kavallerie
Die Ausrüstung der Polen war unzulänglich. Sie transportierten ihr Material hauptsächlich mit Pferden. Auch die Deutschen bewegten ihr Material und schweres Gerät großteils bespannt, doch sie hatten weit mehr Flugzeuge und Panzer.

Die Bombardierung Warschaus

Deutsche Truppen umzingelten die polnische Hauptstadt Warschau. Die Bevölkerung wurde von deutschen Flugzeugen bombardiert und von der Artillerie beschossen. Die Polen hielten standhaft durch, doch die Lage war hoffnungslos. Die polnischen Militärbefehlshaber übergaben Warschau am 27. September den Deutschen.

Mehr als 6 Millionen Polen – ein Fünftel der Bevölkerung – kamen im Lauf des Kriegs ums Leben.

Polnische Juden

In Polen gab es mehr als 3 Mio. Juden. Hitler-Deutschland zwang sie zum Umzug in sogenannte Ghettos und zum Tragen spezieller Kennzeichen, etwa des Davidsterns. Bald starben Tausende Juden – an Hunger und Misshandlungen. 1942 begannen die Nazis, jeden einzelnen Juden zu töten.

Das Massaker von Katyn

Als die sowjetischen Truppen Ostpolen einnahmen, machten sie Tausende Gefangene. Mehr als 20 000 Polen wurden von der sowjetischen Geheimpolizei umgebracht und in Massengräbern verscharrt. Eines wurde 1943 in den Wäldern von Katyn von den Nazis gefunden.

Polen im Exil

Viele polnische Soldaten entkamen aus Polen und gingen nach England und Frankreich, um den Kampf gegen die Besatzungsmacht fortzusetzen. In Polen organisierte die Heimatarmee den Widerstand gegen die Deutschen. General Władysław Sikorski war der Chef der polnischen Exilregierung in London.

DER SITZKRIEG IM WESTEN

ALS ENGLAND UND FRANKREICH Deutschland im September 1939 den Krieg erklärten, gingen auf alliierter Seite viele davon aus, dass Städte wie London sofort von Bomben verwüstet werden würden. Doch in den ersten sieben Kriegsmonaten gab es zwischen England/Frankreich und den Deutschen kaum Kampfhandlungen, es sei denn zur See. Die Alliierten blieben abwartend defensiv. Diese Phase wird als „Sitzkrieg" bezeichnet.

DIE MAGINOT-LINIE

Um sich vor einem deutschen Angriff zu schützen, legte Frankreich in den Dreißigerjahren die Maginot-Linie, ein massives Befestigungswerk, an. Die Anlage verlief parallel zur französisch-deutschen Grenze, die Grenze mit Belgien und Luxemburg war jedoch ungesichert. Die Franzosen hofften, dadurch ähnlich schwere Verluste vermeiden zu können, wie sie ihnen im Ersten Weltkrieg zugefügt worden waren.

Auf Luftangriffe vorbereitet

In Erwartung deutscher Bombenangriffe führte die britische Regierung Luftschutzmaßnahmen ein. Dazu gehörte absolute Verdunkelung, um Bombern nachts keine Orientierungshilfen zu geben. Ohne Straßen- und Kfz-Beleuchtung kam es in stockdunkler Nacht zu vielen Verkehrsunfällen. Jedermann erhielt eine Gasmaske, da man annahm, die Luftwaffe würde Giftgasbomben abwerfen.

Evakuierung von Kindern

Hunderttausende englischer Kinder wurden aus den Städten in bombensichere Gebiete gebracht. Während die einen froh waren, aus den Elendsvierteln heraus aufs Land zu kommen, das sie noch nicht kannten, wurden andere traumatisiert, weil sie unter fremden Menschen leben mussten. Als die deutschen Bombenangriffe ausblieben, kehrten viele wieder nach Hause zurück.

Zivilisten werden Soldaten

In Herbst und Winter 1939 stellten Deutschland, England und Frankreich Truppen bereit. In allen drei Ländern galt nun die allgemeine Wehrpflicht. Millionen Zivilisten wurden in Uniformen gesteckt und militärisch ausgebildet. Die Industrien produzierten Geschütz und Flugzeuge, so schnell es nur ging. Ein britisches Expeditionskorps setzte nach Nordfrankreich über und verstärkte das französische Heer.

Royal Oak versenkt

Gleich zu Kriegsbeginn bewiesen die deutschen U-Boote ihre Zerstörungskraft. Im Oktober 1939 versenkte das U-Boot U 47 ein britisches Schlachtschiff, die *Royal Oak*. Dabei starben mehr als 800 Seeleute. Der Kommandant des U-Boots, Günther Prien, wurde in Deutschland als „Kriegsheld" von Hitler persönlich ausgezeichnet.

Irland bleibt neutral

Der irische Regierungschef Éamon de Valera wahrte Irlands Neutralität, obwohl das Land der britischen Völkergemeinschaft, dem „Commonwealth", angehörte. Andere Commonwealth-Staaten – Kanada, Australien, Neuseeland, Südafrika – erklärten Deutschland den Krieg, Südafrika indessen war in dieser Frage gespalten.

In den ersten sechs Monaten des Sitzkriegs gab die britische Regierung 38 Millionen Gasmasken aus.

Panzerschiff *Admiral Graf Spee*

1939 wurde das deutsche Schlachtschiff *Admiral Graf Spee* vor der Mündung des Rio de la Plata von drei Einheiten der Royal Navy angegriffen. In die Enge getrieben, versenkte die Besatzung selbst das Schiff. Dies steigerte die Popularität von Winston Churchill, der damals Marineminister war.

DER KRIEG IM NORDEN

IM HITLER-STALIN-PAKT vom August 1939 hatten Deutschland und die UdSSR sich gegenseitige Neutralität bei Auseinandersetzungen mit Dritten zugesichert. In einem geheimen Zusatzprotokoll hatten sie die Länder Polen, Litauen, Finnland, Estland, Lettland und Bessarabien unter sich aufgeteilt. Im Winter 1939 und Frühjahr 1940 stärkten Deutschland und die UdSSR ihre Positionen erheblich. Die Sowjetunion marschierte in Finnland ein. Daraufhin besetzte Deutschland Dänemark und Norwegen. Norwegen war nach zwei Monaten besiegt.

Sowjetischer Einmarsch

Durch die gewaltsame Eingliederung finnischer Grenzgebiete wollte die Sowjetunion ihre Verteidigungsmöglichkeiten im Ostseeraum verbessern. Ende November 1939 marschierten ihre Truppen in Finnland ein. Obwohl das finnische Heer zahlenmäßig hoffnungslos unterlegen war, hielt es die Sowjets zunächst auf. Frankreich und Großbritannien bewunderten das tapfer kämpfende finnische Volk und erwogen, zu dessen Hilfe Truppen in Marsch zu setzen.

Der Winterkrieg

Die Finnen waren Meister der winterlichen Kriegführung. Von weißen Tarnanzügen geschützt, glitten sie auf Skiern lautlos über das Gefechtsfeld, mussten sich am Ende aber der Übermacht der sowjetischen Truppen beugen. Im März 1940 wurde ein Friedensvertrag geschlossen, nach dem Finnland zwar unabhängig blieb, aber große Gebiete an die UdSSR fielen.

Invasion aus der Luft

Dänemark und Norwegen waren neutrale Länder. Das schwache Dänemark wurde am 9. April 1940 im Lauf eines Tages besetzt, doch Norwegen war ein zäherer Gegner. Während in den norwegischen Häfen Gebirgsjäger landeten, wurden die wichtigen Flugplätze von deutschen Fallschirmjägern aus der Luft eingenommen. Mit diesem ersten Kampfeinsatz von Luftlandetruppen gelang es der Luftwaffe, mit den Flugfeldern auch den norwegischen Luftraum zu beherrschen.

34

Seegefechte vor Narvik im Frühjahr 1940

Die Briten wollten Norwegen mit ihrer Seeflotte, der Royal Navy, verteidigen. Neun deutsche Zerstörer wurden im Hafen Narvik versenkt. Doch auch die deutsche Luftwaffe griff an. Während die deutschen Verluste hauptsächlich durch Schiffsartillerie verursacht wurden, gingen die britischen Schiffe vor allem durch Luftangriffe verloren.

Skandinavien und baltische Staaten 1940

Deutsche Besetzung des Memellands (März 1939) und Danzigs (September 1939)

Deutsche Besetzung Polens nach Einmarsch (September 1939)

Sowjetische Annexion Ostpolens, 1939

Sowjetische Annexion baltischer Staaten, 1940

Sowjetische Annexion finnischer Gebiete, 1940

→ Deutscher Vormarsch

→ Sowjetischer Vormarsch

→ Finnischer Vormarsch

→ Alliierte Truppenbewegungen

— Grenze zwischen deutschem und sowjetischem Einflussgebiet

Von den Deutschen niedergekämpft

Die britischen und französischen Truppen, die bei Narvik anlandeten, waren schlecht ausgerüstet. Fast jeder vierte alliierte Soldat fiel im Kampf, wurde verwundet oder gefangen genommen. Die letzten alliierten Truppen wurden im Juni 1940 abgezogen.

Skandinavien und die baltischen Staaten, 1940

Durch die Besetzung Dänemarks und Norwegens hatte sich die Lage Deutschlands erheblich verbessert. Die Sowjetunion annektierte finnisches Territorium und gliederte im Juni 1940 kampflos die baltischen Staaten Estland, Lettland und Litauen in sein Staatsgebiet ein. Schweden blieb neutral.

Churchill wird Premierminister

In Großbritannien herrschte helle Empörung, weil die englischen Truppen in Norwegen versagt hatten. Premierminister Neville Chamberlain wurde zum Rücktritt gezwungen. Winston Churchill, der einen kriegerischeren Geist an den Tag gelegt hatte, wurde mit der Bildung einer neuen Regierung beauftragt.

Der Norweger Quisling

Vidkun Quisling war der Gründer der faschistischen Partei „Nasjonal Samling" in Norwegen und hatte Hitler 1939 eine Besetzung seines Landes durch deutsche Truppen vorgeschlagen. Ab 1942 leitete er eine „nationale Regierung", die vom deutschen Reichskommissar abhängig war. 1945 wurde er hingerichtet. „Quisling" wurde bei den Alliierten zu einem Schimpfnamen für Kollaborateure.

Besiegte Niederlande

Am 10. Mai 1940 marschierte die deutsche Wehrmacht in die Niederlande, in Belgien und Luxemburg ein, wobei Luftlandetruppen Schlüsselstellungen einnahmen. Fünf Tage später, nach der Bombardierung des Rotterdamer Hafens, kapitulierten die Niederländer.

Der Frankreichfeldzug 1940

Die deutschen Panzer rückten Richtung Ärmelkanal vor und schnitten den alliierten Truppen den Weg ab. Die Maginot-Linie wurde umgangen. Frankreich war den Deutschen bald ausgeliefert.

Frankreichfeldzug	
→	Deutscher Vormarsch
—	Frontverlauf 16. Mai
– – –	Frontverlauf 21. Mai
⋯⋯	Frontverlauf 28. Mai
–·–·–	Frontverlauf 4. Juni
–··–··–	Frontverlauf 21. Juni
—	Maginot-Linie

ANGRIFF IN WESTEUROPA

IM MAI 1940 trat die deutsche Wehrmacht zur erwarteten Westoffensive an. Deutsche Panzer und Kampfflugzeuge überrollten die schwerfälligen Alliierten förmlich. Nach knapp einem Monat waren die Briten zum Rückzug ihres Expeditionsheers aus Dünkirchen gezwungen, und die französischen Truppen befanden sich in der Auflösung.

Deutsche Panzer

Deutsche Panzer waren weder zahlreicher noch größer als die ihrer Gegner, sie griffen aber im geschlossenen Verband an, während die Panzer der Alliierten nur punktuell eingesetzt wurden. Die deutschen Panzerspitzen rückten vor, ohne auf das Aufschließen des übrigen Heers zu warten.

Flüchtlinge

Franzosen und Belgier flohen aus dem Kampf-
gebiet. Tausende von Pferdekarren und
Kraftfahrzeugen verstopften die Straßen und
blockierten die alliierten Truppenbewegungen.
Auch die Flüchtlinge wurden von deutschen
Flugzeugen beschossen und bombardiert.

*Etwa 340 000 britische und französische
Soldaten wurden aus Dünkirchen gerettet.*

Flucht aus Dünkirchen

Die durch den deutschen Vormarsch eingekesselten britischen und französischen
Truppen hatten die Wahl zwischen Flucht und Kapitulation. Neun Tage lang konnten
sie sich in Dünkirchen an der französischen Kanalküste halten. Unterdessen begann
die Royal Navy mit ihrer Evakuierung über den Dünkirchener Hafen. Viele Soldaten
wurden mit kleinen Booten zu den großen Kriegsschiffen gebracht.

Gefahrvolle Flucht

Die eingeschlossenen Truppen wurden bei ihrer
Flucht ständig von der deutschen Luftwaffe
beschossen, zahlreiche Schiffe wurden versenkt.
Viele Soldaten waren durch ihre Erlebnisse traumatisiert, als sie die britische Küste erreichten.

Die Royal Navy konnte zwischen dem 27. Mai und 4. Juni 1940 etwa 340 000 britische und französische Soldaten aus Dünkirchen evakuieren. Erschöpft und erleichtert waren diejenigen, die per Schiff nach England gebracht wurden.

NACH DER NIEDERLAGE FRANKREICHS

NACH DER EVAKUIERUNG ihrer Truppen aus Dünkirchen befanden sich die Franzosen in einer aussichtslosen Lage und sie kapitulierten bald darauf. Der Norden und der Westen ihres Landes war in der Hand der deutschen Wehrmacht, während der Südosten einer französischen Regierung überlassen blieb, die mit den Deutschen kollaborierte. Da Belgien und die Niederlande ebenfalls besiegt waren, hatte Großbritannien nun keine Verbündeten mehr. Doch Premierminister Churchill wollte keinen Friedensschluss und rief die Bevölkerung dazu auf, Hitler zu trotzen.

Hitlers Triumph

Der Sieg über Frankreich war für Hitler ein großer Erfolg und eine Revanche für die deutsche Niederlage im Ersten Weltkrieg. Die Franzosen mussten den Waffenstillstandsvertrag an derselben Stelle unterzeichnen wie das Deutsche Reich 1918. Am 28. Juni 1940 besuchte Hitler die besetzte französische Hauptstadt Paris.

Pétain an der Spitze Vichy-Frankreichs

Nach der Kapitulation wurde Frankreich von Marschall Pétain in Vichy regiert. Der 84-Jährige war als Verteidiger Verduns im Ersten Weltkrieg berühmt geworden. „Arbeit, Familie, Vaterland" lautete sein politisches Programm. Vichy-Frankreich schaffte die Demokratie ab und kollaborierte mit Deutschland bei der Verfolgung der Juden und der Beschaffung von Zwangsarbeitern für die Rüstungsproduktion.

Freies Frankreich

Der französische General Charles de Gaulle rief in Großbritannien die Bewegung „Freies Frankreich" aus. Er wollte den Kampf gegen Deutschland fortsetzen. Dabei wurde er von den Gegnern der Vichy-Regierung unterstützt.

Churchill spricht für die Briten

Die britische Regierung setzte sich aus allen Parteien zusammen. Nach dem Fall Frankreichs sehnten sich viele Briten nach Frieden, trotzdem lehnten die meisten jede Abmachung mit Hitler ab. Premierminister Churchill stärkte die Kampfmoral der Bevölkerung mit aufrüttelnden Rundfunkappellen. So erklärte er, dass er leider nur „Blut, Mühsal, Tränen und Schweiß" versprechen könne.

Versenkung der französischen Flotte

Nach der Kapitulation Frankreichs befürchtete Großbritannien, die französische Kriegsmarine könnte in deutsche Hand fallen. Daher zerstörte die Royal Navy den größten Teil der französischen Flotte, der im algerischen Hafen Mers-el-Kebir lag. Dabei starben 1200 Soldaten. Die Franzosen waren empört.

Home Guard

Im Sommer 1940 richteten die Briten sich auf die Abwehr einer deutschen Invasion ein. Die englischen Strände wurden vermint und mit Stacheldraht unpassierbar gemacht sowie kleinere Betonbunker angelegt. Mehr als 1 Mio. Männer, viele für den aktiven Militärdienst zu alt, hielten stundenweise Wacht für die sogenannte Home Guard. Diese „Altmännertruppe" war zwar nur dürftig bewaffnet, jedoch imstande, nach deutschen Fallschirmjägern und Agenten Ausschau zu halten.

Mit seinen Rundfunkansprachen rüttelte Churchill die Bevölkerung auf: „Hitler weiß, dass er uns entweder auf dieser Insel besiegen muss, oder den Krieg verliert."

Internierte Ausländer

Aus Furcht vor deutschen Agenten wurden Tausende in Großbritannien lebende Ausländer in Internierungslagern festgesetzt, vor allem Deutsche, Österreicher und Italiener. Viele von ihnen standen Nationalsozialismus und Faschismus ablehnend gegenüber und trugen, als sie schließlich wieder frei waren, zu den britischen Kriegsanstrengungen bei.

DIE LUFTSCHLACHT UM GROSSBRITANNIEN

ALS FRANKREICH BESIEGT WAR, verlegte die deutsche Luftwaffe ihre Stützpunkte an die französische Kanalküste. Zur Vorbereitung einer Invasion der britischen Insel versuchte die Luftwaffe die Royal Air Force (RAF) zu zerstören. Im Endeffekt wurde der Kampf um die Insel ausschließlich in der Luft ausgetragen. Die Vernichtung der RAF gelang zwar nicht, doch flog die Luftwaffe nun nächtliche Bombenangriffe auf britische Städte: „The Blitz" nennen die Engländer diese Phase bis heute.

Die Royal Air Force in der Defensive
Im Sommer 1940 fanden über Südengland bei Tag schwere Luftkämpfe statt. Die Jagdflieger der RAF bekämpften mit *Spitfires* und *Hurricanes* die unter Begleitschutz anfliegenden deutschen Bomber. Wurde ein deutsches Flugzeug entdeckt, bekamen die britischen Piloten Befehl zum Aufsteigen und rannten zu ihren Maschinen.

DAS RADAR-FRÜHWARNSYSTEM

Die britische Luftverteidigung hatte ein raffiniertes Frühwarnsystem entwickelt. Radarstationen entlang der Küste entdeckten anfliegende deutsche Maschinen lange vor ihrem Eintreffen. So konnte man in einem Lagezentrum die Bewegungen der Feindflugzeuge genau verfolgen. Anschließend unterrichtete man die eigenen Jagdstaffeln davon, wo sie die anfliegenden Feindmaschinen abfangen sollten.

Der Tag der Luftschlacht
Dem 15. September 1940 wird in Großbritannien heute als „Battle of Britain" gedacht. An diesem Tag flogen über tausend deutsche Kampfmaschinen London an. Die britischen Jagdflieger waren zwar zahlenmäßig unterlegen, die Luftwaffe verlor dennoch 56 Maschinen, die Royal Air Force nur 26. Churchill wusste, dass sein Land den RAF-Piloten zu tiefem Dank verpflichtet war, und sagte: „Niemals verdankten in einem Konflikt so viele so wenigen so viel".

Die Deutschen bombardieren London

Am 7. September 1940 flogen die Deutschen den ersten größeren Bombenangriff auf London. Die Angriffe fanden auch bei Dunkelheit statt, wenn die Royal Air Force kaum Zielchancen hatte. Bis zum 10. Mai 1941 wurden dabei etwa 43 000 Menschen getötet.

London brennt

Der Bombenkrieg stellte die Rettungsdienste vor große Herausforderungen. Die deutsche Luftwaffe setzte neben Brand- auch Sprengbomben ein. In London gab es in einer einzigen Nacht bisweilen mehr als 2000 Brände. Der Feuerschein wies weiteren Bombern den Weg zu ihrem Ziel.

Die U-Bahn-Station als Schutzraum

Tausende Menschen entgingen den Bomben, indem sie die Nächte auf den Bahnsteigen der Londoner U-Bahn verbrachten. In den überfüllten Stationen stank es und es war unbequem, doch die Menschen fühlten sich dort sicher. Später stellte man Feldbetten auf.

Coventry zerstört

Viele Städte wurden bombardiert, u. a. Liverpool, Glasgow, Plymouth und das nordirische Belfast, doch keine traf es härter als Coventry im Herzen Englands. In der Nacht vom 14. auf den 15. November 1940 verwüstete eine deutsche Bomberflotte unter dem Decknamen „Unternehmen Mondscheinsonate" das Stadtzentrum. 500 Menschen starben. Zerstört wurde auch die mittelalterliche Kathedrale.

STIMMEN
ZU DEN LUFTANGRIFFEN

Vor den deutschen Bombenangriffen
von September 1940 bis Mai 1941 suchte
die Bevölkerung der britischen Städte
Deckung unter Treppenaufgängen, in
unzulänglichen Kleinbunkern, in Gärten,
öffentlichen Luftschutzräumen oder auf
den Londoner U-Bahnhöfen. Die Not
ließ die Menschen näher zusammenrücken.

„WER IN LONDON geblieben war, gewöhnte sich schnell an die Routine am frühen
Abend. Eine Zeit lang suchten wir im Luftschutzbunker im Garten Zuflucht,
doch dann stellten wir fest, dass alle in die U-Bahn gingen. Wir nahmen mit, was wir für
notwendig hielten: Essbares, Wolldecken, Comic-Hefte. Es gab kein Hetzen, keine Panik,
lediglich einen ständigen Menschenstrom … Die U-Bahn fuhr weiterhin und hatte Mühe,
die Fahrgäste zu bewältigen, und ich erinnere mich, dass wir auf dem Bahnsteig schlafen
mussten und dass dort eine weiße Linie war, jenseits derer wir uns nicht hinlegen durften.
Wenn die letzte U-Bahn durch war, wurde alles viel besser … Wir wurden ermutigt, in den
Schächten zu singen … Woher die Begeisterung dazu kam, weiß ich nicht …"

Die sechsjährige Elizabeth Le Blond wurde
im Unterschied zu den meisten ihrer
Schulfreundinnen nicht aus London evakuiert.

„ALS UNS KLAR WURDE, dass es sich um einen Großangriff handelte, gingen wir in den kleinen Stahlbunker eines Nachbarn. Der Bombenregen begann. Wir hörten Schreie von Kindern, die plötzlich verstummten. Später erfuhren wir, dass fünf Kinder in einem Bunker ums Leben gekommen waren. Beim Warten auf den schier unvermeidlichen Treffer verrann die Zeit nur langsam. Wir hatten schreckliche Angst. Vier Erwachsene, ein Baby, ein Hund. Wir kauerten uns zusammen, erwarteten den Tod. Der Himmel wurde von Hunderten Bränden erhellt, Mauerwerk stürzte ein … Menschen schrien. Wir beteten, der Tag möge anbrechen … Gegen fünf kehrte Ruhe ein … Verwüstung überall. Die Menschen waren ruhig. Es gab keine Panik. Die Kleidung war verschmutzt, manchmal zerrissen. Trotz allem hörte ich nie ein verurteilendes Wort. Alle versuchten, einander zu helfen. Da war eine starkes Band der Freundschaft und Fürsorge."

Jean Long, Postangestellte in Coventry,
beschreibt die Nacht im November 1940,
in der die Stadt verwüstet wurde.

„DIE FABRIKEN BRANNTEN NOCH, die Straßenbahnen fuhren nicht mehr, trotzdem musste ich die Stadt durchqueren, vorbei an Bombentrichtern, Schlauchleitungen, mitten durch das Chaos. Wenn man um elf am Arbeitsplatz erschien, wurde man herzlich empfangen. Man war zu Fuß in der Stadt unterwegs und traf auf Leute, die zur Arbeit zu gelangen suchten — und man wurde zu besten Freunden."

Gwendoline Stewart war ein junges
Mädchen und arbeitete in Birmingham,
als die Stadt bombardiert wurde.

HILFE AUS DEN USA

Spätestens 1941 war klar, dass es Deutschland nicht auf Anhieb gelingen würde, Großbritannien zu besiegen. Doch die Engländer hätten den Kampf ohne Geld und Material aus den USA nicht fortsetzen können. Der amerikanische Präsident Roosevelt war überzeugt, dass sich ein Sieg Hitlers auf die USA katastrophal auswirken würde, aber die amerikanische Bevölkerung wehrte sich gegen jede Verwicklung in einen Krieg zwischen anderen Staaten. Roosevelt erklärte seinen Landsleuten, Amerika müsse die „Rüstkammer der Demokratie" sein – man müsse ihm folglich die Waffen zur Bekämpfung Hitlers zur Verfügung stellen.

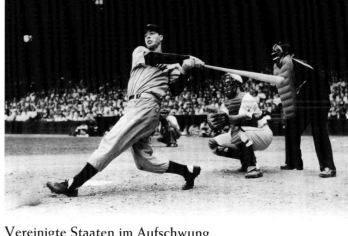

Vereinigte Staaten im Aufschwung
In den Jahren 1940/1941 besserten sich die Lebensverhältnisse der Amerikaner. Die Industrie begann große Mengen an Kriegsmaterial zu produzieren, die Löhne stiegen und es gab Arbeitsplätze im Überfluss. Bei wohlgefüllten Taschen glaubten viele Amerikaner, Besseres zu tun zu haben, als in den Krieg zu ziehen. Die Fertigkeiten des Basketballstars Joe DiMaggios interessierten sie mehr als etwa die Außenpolitik.

„Amerika zuerst"
Der US-Pilot Charles Lindbergh, dessen Verhältnis zu Nazi-Deutschland bis heute umstritten ist, zählte zu den ersten Prominenten, die sich für die „America-First"-Bewegung stark machten, die ein Eingreifen der USA in den europäischen Krieg verhindern wollte. Nur jeder fünfte Amerikaner war für den aktiven Kampf gegen Hitler. Als sich Roosevelt 1940 zur Wiederwahl stellte, versprach er, Amerika werde nur in den Krieg eintreten, wenn es angegriffen werde.

Meinungsumschwung
Insgesamt erhofften die Amerikaner einen Erfolg der Briten im Krieg gegen die Deutschen. Sie bewunderten die Haltung der Engländer und verabscheuten Hitlers aggressiven Militarismus. Im Film *Der große Diktator* spielte der Komiker Charlie Chaplin den machtversessenen Adenoid Hynkel – eine augenfällige Satire über Adolf Hitler. Der Streifen war 1940 in den amerikanischen Kinos ein großer Erfolg.

Pacht-und Leih-Abkommen
Seit Kriegsbeginn versorgte Amerika die Briten mit Waffen und sonstigen Gütern, solange sie dafür bezahlen und sie selbst abtransportieren konnten. 1940 erklärte Roosevelt sich auch bereit, der Royal Navy 50 ältere Zerstörer gegen Pachtung einiger britischer Stützpunkte zu überlassen. Seit Frühjahr 1941 konnte Großbritannien gemäß dem „Pacht-und-Leih-Abkommen" ohne Bezahlung von Amerika kriegswichtige Güter borgen.

Empfindliche Lebensader

US-amerikanische Güter mussten per Schiff über den Atlantik nach Großbritannien transportiert werden. Diese britische „Lebensader" bedrohten die deutschen U-Boote, die ab Mitte 1940 auch Stützpunkte in Frankreich hatten. Die amerikanische Kriegsmarine beteiligte sich immer stärker am Schutz der Atlantik-Geleitzüge, da die Deutschen amerikanische Handelsschiffe versenkten.

KOLONIEN UNTERSTÜTZEN DIE BRITEN

Die Briten standen zu keinem Zeitpunkt „allein", denn sie wurden immer von ihren Kolonien und den selbstständigen Ländern des Commonwealth unterstützt. Kanada half Großbritannien mit Soldaten und Kapital. Australier, Neuseeländer und Südafrikaner kämpften insbesondere in Nordafrika. Die Bevölkerungen der westindischen und afrikanischen Kolonien wurden als Arbeiter verpflichtet. Das indische Heer stellte die meisten Männer, insgesamt 2,5 Mio. Freiwillige.

Atlantikcharta

Im August 1941 trafen sich Churchill und Roosevelt auf einem Kriegsschiff vor der Küste Neufundlands. In der „Atlantikcharta" legten sie ihre Kriegsziele fest: Nach der Niederlage des Dritten Reichs sollten die Menschen „frei von Not und Angst" leben können. Zu dieser Zeit war Amerika bereits stark in den Krieg gegen Hitler verwickelt, allerdings nicht mit aktiven Kampfhandlungen.

ITALIEN TRITT IN DEN KRIEG EIN

Le Rire

N° 1031 — 29 Avril 1938

JOURNAL SATIRIQUE PARAISSANT LE VENDREDI

2 francs 25

LES SEMEURS

— Que sera la récolte !...

Dessin de PAUL ORDNER.

TROT SEINES PAKTS mit Deutschland hielt der faschistische Diktator Mussolini Italien zunächst aus dem Krieg heraus. Er wusste, dass seine Truppen zum Kampf gegen Großbritannien oder Frankreich nicht hinreichend gerüstet waren. Erst als die Deutschen die Alliierten im Juni 1940 bezwungen zu haben schienen, schlug Mussolini sich auf die Seite der „Sieger". Doch die Italiener erlitten in Afrika und Griechenland sehr bald Niederlagen.

Italien als Nutznießer

Am 10. Juni 1940 erklärte Mussolini Frankreich und Großbritannien den Krieg. Auf dem Titelbild der französischen Satirezeitschrift *Le Rire* säen Hitler und er auf den Feldern Europas Panzer und Kanonen: Der „Duce" (ital.: Führer) wollte die Ernte eines sicher geglaubten deutschen Sieges einfahren. Italienische Truppen marschierten zwar nach Südfrankreich ein, konnten sich in dem zweiwöchigen Krieg aber nicht behaupten.

Versenkung in Tarent

Das Mittelmeer sei, wie im antiken Rom, *mare nostrum* – „unser Meer" – prahlte Mussolini. Doch die britische Marine jagte der italienischen Flotte einen gehörigen Schrecken ein. Im November 1940 griffen Torpedobomber den italienischen Kriegshafen Tarent an und versenkten drei Schlachtschiffe.

Rückkehr des äthiopischen Kaisers

Im Frühjahr 1941 besiegten britische Soldaten – die meisten von ihnen aus Indien und Afrika – die Italiener in deren ostafrikanischen Kolonien Eritrea, Italienisch-Somaliland und Äthiopien. Negus Haile Selassie, der äthiopische Kaiser, kehrte fünf Jahre nach seiner Vertreibung im Mai 1936 durch die Italiener in seine Heimat zurück.

Wüstenratten

Mit Italiens Kriegseintritt wurden die Kämpfe in die nordafrikanischen Wüsten getragen. Von ihrer Kolonie Libyen marschierten die Italiener in Ägypten ein, wo britische Truppen standen. Damit war der Sueskanal als lebenswichtige Wasserstraße gefährdet. Die britische 7. Panzerdivision, genannt „die Wüstenratten", und eine australische Division vertrieben die Italiener aus Ägypten und rückten in Libyen ein.

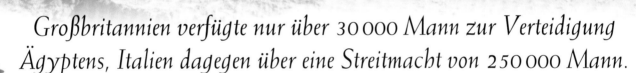

Großbritannien verfügte nur über 30 000 Mann zur Verteidigung Ägyptens, Italien dagegen über eine Streitmacht von 250 000 Mann.

Italienische Kapitulation

Die italienischen Truppen in Nordafrika waren den britischen und Commonwealth-Verbänden zahlenmäßig überlegen, doch schlecht geführt und bewaffnet. Nach zehn Wochen Kampf waren sie 800 km weit ins libysche Landesinnere zurückgedrängt. Etwa 130 000 Italiener kapitulierten und gerieten in Gefangenschaft. Der Erfolg im Wüstenkrieg ließ die Briten angesichts ihrer Niederlagen andernorts neuen Mut fassen.

Britische Truppen nach Griechenland

Von Albanien aus versuchte Italien 1940 erstmals, Nordgriechenland zu erobern. Im Frühjahr 1941 wurden britische und australische Einheiten von Nordafrika nach Griechenland verlegt. Dies erwies sich als unklug, da es einen letztendlichen Sieg über Italien in Nordafrika verhinderte und am Ende den Griechen keine Hilfe brachte.

MITTELMEER UND NORDAFRIKA

ANGESICHTS DER NIEDERLAGEN seines Achsenpartners Italien in Griechenland entschied sich Hitler, in die Kämpfe im Mittelmeerraum einzugreifen. Er wollte verhindern, dass sich die Briten oder die Sowjets dort durchsetzten. Im Rahmen des Balkanfeldzugs eroberten die Deutschen das Königreich Jugoslawien, vertrieben die Briten aus Griechenland und bemächtigten sich durch Luftangriffe der Insel Kreta. Unterdessen rückten die Panzer des Deutschen Afrikakorps unter Erwin Rommel in Nordafrika ein.

Rommel kommt

Der deutsche General Erwin Rommel traf im Februar 1941 in Nordafrika ein. Zuvor hatte er das Führerhauptquartier kommandiert und als Panzergeneral entscheidend zum Sieg über Frankreich beigetragen. Sein Truppenverband, genannt Deutsches Afrikakorps, erwies sich im Panzerkampf in der Wüste als den Briten weit überlegen. Rommel, genannt „Wüstenfuchs", war stark von Hitler gefördert worden, dieser ließ ihn 1944 jedoch zum Selbstmord zwingen.

Der Wüstenkrieg März 1941–Juli 1942

Im Küstengebiet im Norden Libyens und Ägyptens wogte der Kampf lange hin und her. Im Frühjahr 1941 drängte das deutsche Afrikakorps die Briten an die ägyptische Grenze zurück. Diese führten daraufhin einen Gegenangriff, doch im Sommer 1942 rückten die Deutschen tief ins ägyptische Landesinnere, bis El-Alamein, vor.

Wüstenkrieg
Kampfgebiet

Wüstenkrieg

Hitze, Fliegen und Staub machten die Wüste für die Soldaten zu einem schwierigen Gefechtsfeld. Ihren Panzern bot die Ödnis jedoch fast keine Hindernisse. Da die Gebiete fast menschenleer waren, kamen vergleichsweise wenige Zivilisten zu Schaden. Die Heere legten Minenfelder an, um die feindlichen Panzer aufzuhalten.

Balkan-Invasion

Deutsches Reich und Verbündete

→ Deutscher Vorstoß

Vom Balkan nach Kreta

Im April 1941 besetzten die Deutschen Jugoslawien, das nach wenigen Tagen kapitulierte.
Dann überrannten sie Griechenland und besetzten Kreta. Der ganze Feldzug dauerte keine
zwei Monate.

Invasion aus der Luft

Am 20. Mai 1941 sprangen deutsche Fallschirmjäger
über Kreta ab. Obwohl viele den Truppen des
Commonwealth zum Opfer fielen, konnten sie einen
Flugplatz erobern und so die Landung von weiteren
Soldaten und Gerät ermöglichen. Die britische
Marine evakuierte Tausende Soldaten von Kreta
nach Ägypten, die Zurückgelassenen kapitulierten.

Maltas Überlebenskampf

Von 1940–1942 wurde die
britisch beherrschte Insel
Malta von der italienischen
und deutschen Luftwaffe
bombardiert. Schiffe, die die
Insel ansteuerten, wurden
ebenfalls beschossen. Die
Bevölkerung Maltas harrte
trotzdem aus, und der
britische König verlieh
ihr für ihre Tapferkeit das
Georgs-Kreuz.

*Auf das britische Malta
fielen – im Verhältnis zur
Fläche und Einwohnerzahl
der Insel – die meisten Bomben
im Zweiten Weltkrieg.*

51

KRIEG GEGEN DIE SOWJETUNION

Invasion auf breiter Front

Die Heftigkeit des deutschen Ansturms am 22. Juni 1941 führte zu tiefen Einbrüchen in den sowjetischen Verteidigungslinien. Hitler standen mehr als 4 Mio. Mann zur Verfügung – 3 Mio. deutsche Soldaten und etwa 1 Mio. Kämpfer aus verbündeten Ländern.

Unternehmen Barbarossa 1941

→	Deutscher Vormarsch
—	Reichsgrenze, 21. Juni
– – –	Deutscher Frontverlauf, 1. September
– · –	Deutscher Frontverlauf, 15. September
· · · · ·	Deutscher Frontverlauf, 5. Dezember
– ·· –	Eingekesselte sowjetische Truppen

FINNLAND

Finnischer Meerbusen

0 km 100 200 300

Leningrad
Narwa
Tallinn (Reval)
Nowgorod
Estland
Kaliningrad
Lettland
Riga
Moskau
Memel
Dünaburg
Wjasma
Litauen
Smolensk
Tula
Kaunas
Minsk
Brjansk
Orel
SOWJETUNION
Białystok
Kursk
Brest-Litowsk
Belgorod
Dt. General-gouvernement
Kiew
Charkow
Ukraine
Tarnopol
Umam'
Rostow
SLOWAKEI
UNGARN
Cherson
Asowsches Meer
Odessa
Kertsch
RUMÄNIEN
Sewastopol
Schwarzes Meer

DIE EROBERUNG DER SOWJETUNION gehörte zu den ältesten und ehrgeizigsten Absichten Hitlers. Im Juni 1941 begann das Unternehmen Barbarossa, der Einmarsch in die Sowjetunion. Zunächst war der Feldzug äußerst erfolgreich, die Sowjets mussten schwerste Verluste hinnehmen. Doch das Zusammentreffen eines frühen Wintereinbruchs mit entschlossenen sowjetischen Gegenangriffen ließ den deutschen Vormarsch stocken. So bekam Hitler nicht den schnellen Sieg, den er brauchte.

Unternehmen Barbarossa, Juni–Dezember 1941

Die deutschen Truppen rückten innerhalb der Blitzkrieg-Strategie zügig vor und konnten bei ihren Angriffen ganze Armeeverbände umzingeln. So zwangen sie jeweils Hunderttausende Soldaten zur Kapitulation. Doch die beiden Großstädte Leningrad und Moskau hielten den Invasoren stand.

Freundlicher Empfang

In der Ukraine und im Baltikum begrüßten viele Einwohner die deutschen Soldaten zunächst als Befreier von der Sowjetmacht. Dieser deutsche Landser erhielt von Ukrainerinnen Brot geschenkt. Doch die Brutalität der Nazis machte aus dankbaren Einheimischen schnell erbitterte Feinde.

Sowjetischer Widerstand

Nach anfänglichen Schwierigkeiten verteidigte die russische Bevölkerung erbittert ihre Heimat – angespornt durch Plakate wie dieses. Die deutschen Panzerspitzen näherten sich dem Moskauer Stadtzentrum bis auf 32 km, doch ein entschlossener Gegenangriff unter General Schukow drängte sie zurück.

Russischer Winter

Auf einen schnellen Sieg hoffend, hatten die Deutschen sich nicht auf die extreme Kälte des russischen Winters eingerichtet. Die Soldaten litten fürchterlich, viele verloren durch Erfrierungen Hände und Füße. Das schwere Gerät versagte mangels Beheizung und Frostschutz.

Schwere Verluste

Die Kämpfe in der Sowjetunion gehörten zu den schrecklichsten des Krieges. Die Wehrmacht verlor in den ersten sechs Monaten rund 750 000 Mann. Auf Seiten der Sowjetunion kamen weitaus mehr Kämpfer ums Leben – etwa 3,5 Mio. fielen und ebenso viele gerieten in Gefangenschaft –, doch die bevölkerungsreiche UdSSR konnte neue Soldaten für sie einsetzen.

Seltsame Verbündete

Obwohl Churchill den Kommunismus verabscheute, war ihm Stalin als Bundesgenosse gegen Hitler willkommen. Großbritannien und die USA begannen die Sowjetunion mit Kriegsgerät zu beliefern. Im September 1941 rief die britische Regierung die „Panzer für Russland"-Woche aus, um für die Waffenproduktion zugunsten der UdSSR zu werben.

„Der Krieg gegen Rußland wird von der Art sein, daß er nicht ritterlich geführt werden kann. Dieser Kampf ist einer der Ideologien und rassischer Unterschiede und wird mit einer nie dagewesenen, unbarmherzigen und unerbittlichen Härte geführt werden."

Adolf Hitler im März 1941 nach den Aufzeichnungen von Generaloberst Franz Halder

Wehrpflicht

1935 verfügte das Wehrgesetz die allgemeine Wehrpflicht für Männer zwischen
18 und 45 Jahren. Schon 1934 hatte Kriegsminister v. Blomberg angekündigt, dass
die Soldaten künftig auf die Person Hitlers
vereidigt werden sollten. Der Kriegsminister
unterstrich den Willen der Wehrmacht zur
Zusammenarbeit. Hitler dankte es ihm mit
dem Versprechen, stets für die „Unantast-
barkeit der Wehrmacht" einzutreten.

Adolf Hitler ist der Sieg!

Krieg im Westen

Handstreichartig hatte die Wehrmacht den
Krieg im Westen gegen die Niederlande,
Belgien, Luxemburg und Frankreich geführt.
Nach knapp sechs Wochen musste Frankreich
kapitulieren. Mit diesen „Blitzkriegen" und
der Besetzung Dänemarks und Norwegens
hatte das Deutsche Reich große Teile Europas
unterworfen. Hitler war auf dem Höhepunkt
seiner Macht. Ein SPD-Geheimbericht:
„Jedermann glaubt, der Führer kann alles."

Reichsparteitag Nürnberg

Der „Tag der Wehrmacht" auf dem
Reichsparteitag in Nürnberg, 10.–16.
September 1935. Reichsparteitage
wurden als gewaltige Massenkund-
gebungen inszeniert, um die Einheit
von Partei und Volk zu demonstrie-
ren. Neben den Ansprachen Hitlers
gehörten die Waffenschauen der
Wehrmacht zu den Höhepunkten.

DIE ROLLE DER WEHRMACHT

DIE WEHRMACHT entwickelte sich schnell zu einer
tragenden Säule des Nationalsozialismus. Hitler sicherte
größtmögliche Aufrüstung zu und erntete im Gegenzug
die Treue der Generäle. Das Militär garantierte die Allein-
herrschaft des „Führers". Mit dem deutschen Angriff auf die
Sowjetunion im Juni 1941 wurde die Wehrmacht aktiv in
das nationalsozialistische Vernichtungsprogramm einbe-
zogen. Nach dem Attentat auf Hitler am 20. Juli 1944
musste die Wehrmacht wesentliche Befugnisse an die
Waffen-SS und die SS abgeben.

Beginn des Zweiten Weltkriegs

Polen hatte bei seinem Überfall am
1. September 1939 der hochgerüsteten
Wehrmacht wenig entgegenzusetzen und
musste nach wenigen Wochen aufgeben. In
Polen nahm die deutsche Ausrottungs- und
Versklavungspolitik ihren Anfang. Zwar war
die Wehrmacht noch nicht direkt an der
Ermordung von Angehörigen der polnischen
Intelligenz und der Juden beteiligt, aber die
hohen Militärchefs wussten um das Wüten
der deutschen „Einsatzgruppen". Nur
wenige Offiziere protestierten.

Stalingrad: Der Anfang vom Ende

Auch in Russland feierte das deutsche Militär erstaunliche Anfangserfolge. Zwar stockte der Vormarsch vor Moskau, aber im Südosten wurde sogar der Kaukasus erreicht. Erst die Niederlage von Stalingrad, der strategisch wichtigen Stadt an der Wolga, wurde zum „Symbol des Wendepunkts mitten im Zweiten Weltkrieg". 250000 deutsche Soldaten waren eingekesselt und besiegt worden. Von den 90000 deutschen Kriegsgefangenen überlebten nur 6000 (siehe auch S. 84–85).

Das letzte Aufgebot

Der verbrecherische Angriffskrieg war längst verloren, als das deutsche Militär ohne Rücksicht auf weitere Verluste sein letztes Aufgebot, den „Volkssturm", formierte. Unzureichend ausgebildet, bei Verweigerung mit dem Tode bedroht, wurden Jung und Alt in den Kampf geschickt. In den letzten zehn Monaten des Kriegs kam in Europa die Hälfte aller Opfer ums Leben.

Das Ende

Zusammen mit seinem persönlichen Adjutanten besichtigte Hitler Anfang April die von Bomben und Artilleriegeschossen schwer getroffenen Räume der Reichskanzlei. Auch der letzte „Kampf um Berlin" war entschieden. Die Armeen, auf die Hitler wenige Wochen vor dem Untergang immer noch hoffte, gab es längst nicht mehr. Ende April 1945 entzog er sich der Verantwortung. Er schoss sich eine Kugel in den Kopf. Seine Leiche wurde im Garten der Reichskanzlei verbrannt.

Rückzug und verbrannte Erde

Im Sommer 1944 befand sich die Wehrmacht an allen Fronten auf dem Rückzug. Im Westen waren in Nordfrankreich die Alliierten gelandet. Ende August konnte Paris befreit werden. Von Osten her näherte sich die Rote Armee unaufhaltsam den deutschen Grenzen. Oft hinterließen deutsche Soldaten bei zähen Rückzugsgefechten „verbrannte Erde". Allein in Weißrussland wurden 8000 Dörfer niedergebrannt, die Bevölkerung bestialisch ermordet.

MASSAKER UND HUNGERSNOT

Massaker an Juden
Besondere Erschießungskommandos der SS, die sogenannten Einsatzgruppen, folgten der Wehrmacht in die Sowjetunion und töteten Hunderttausende Juden. Diese wurden meist erschossen und in Massengräbern verscharrt. Fast 34 000 von ihnen wurden innerhalb weniger Tage im September 1941 bei Kiew in der Schlucht Babi Jar umgebracht.

DER ÜBERFALL AUF DIE SOWJETUNION brachte unermessliches Leid mit sich. Wo immer die Deutschen vorrückten, verübten sie schreckliche Massaker. Hitler verachtete die sowjetische Bevölkerung, die er als „rassisch minderwertig" ansah, genauso wie die Kommunisten. Die Nazis wollten die vielen Juden in der Sowjetunion vollkommen ausrotten. Gleichzeitig übte der sowjetische Staatschef Stalin Terror gegen das eigene Volk aus, um es unter Kontrolle zu halten.

Die Slawen im Visier
Hitler wollte Deutsche in Russland ansiedeln, daher kam es seinen Plänen entgegen, wenn möglichst viele Slawen ums Leben kamen. Heinrich Himmlers SS plante, etwa 30 Mio. Sowjetbürger durch Verhungernlassen oder Massaker umzubringen. Die Deutschen ermordeten wahllos Zivilisten, vergewaltigten systematisch Frauen und Mädchen und zerstörten jegliche Behausung.

Partisanen
In den deutsch besetzten Gebieten bildeten sowjetische Zivilisten Partisanengruppen zum bewaffneten Widerstand, legten Hinterhalte und verübten Sabotageakte und Überfälle auf deutsche Soldaten. Gefasste Partisanen und ihre mutmaßlichen Helfer wurden hingerichtet. Die Wehrmacht ließ 50–100 Geiseln für jeden von Partisanen umgebrachten Soldaten erschießen.

Leningrad hungert

1941 wurde Leningrad (heute St. Petersburg) von
deutschen und finnischen Truppen eingeschlossen.
Bald begannen die in der Stadt eingeschlossenen
Menschen zu hungern. Die Bombardierung und
der Artilleriebeschuss dauerten an. Obwohl die
sowjetische Armee im Winter Nahrungsmittel
über das Eis des Ladogasees heranschaffen
konnte, verhungerten in den 900 Tagen der
Belagerung etwa 1 Mio. Menschen.

Russischer Kriegsgefangener

Rotarmisten in deutscher Gefangenschaft
hatten kaum Überlebenschancen.
Zehntausende wurden hingerichtet,
Millionen starben an Hunger und
Verelendung. Von insgesamt
mehr als 5 Mio. Gefange-
nen starben mindestens
3,5 Mio. in deutscher
Gefangenschaft.

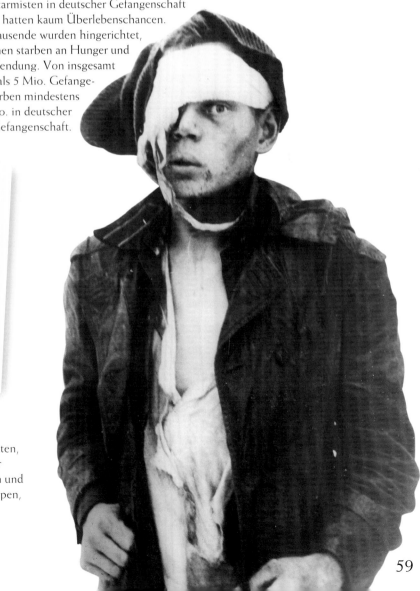

Kampf gegen stalinistische Unterdrückung

Etwa 1 Mio. sowjetische Bürger kämpften an der Seite Deutschlands. Viele von ihnen gehörten nicht russischen Völkern an: Letten,
Litauer, Esten, Ukrainer und Tschetschenen. Sie alle hatten unter
Stalins Politik gelitten. Stalin nahm grausame Rache an Verrätern und
ließ 1944 das tschetschenische Volk nach Zentralasien verschleppen,
was für mindestens 230 000 Menschen den Tod bedeutete.

KRIEG IM PAZIFIK

JAPAN GRIFF AM 7. DEZEMBER 1941 den
amerikanischen Stützpunkt Pearl Harbor
auf Hawaii an. Mit dem Eintritt der USA
wurde der bis dahin europäische Konflikt
zum Weltkrieg. Anfangs kontrollierten die
Japaner einen Großteil des Pazifiks, doch
schon bald schlugen die Amerikaner zurück.
Der pazifisch-asiatische Krieg wurde zur
See hauptsächlich von Flugzeugträgern aus
geführt, an Land kämpften die Fußtruppen
im Dschungel, auch auf den Pazifikinseln.

Landung auf Guadalcanal
Die erste alliierte Offensive im Pazifik: Amerikanische Marine-
infanterie landet auf der größten der Salomon-Inseln, Guadalcanal.

21. Juli
Japanische Truppen besetzen
Französisch-Indochina.
USA und GB verhängen
Wirtschaftssanktionen.

10. Dezember
Japanische Flieger versenken
die britischen Schlachtschiffe
Prince of Wales und *Repulse*.

Januar
Admiral Isoroku Yamamoto
beginnt die Planung eines
japanischen Luftangriffs
auf Pearl Harbor.

7. Dezember
Japanische Marineflieger greifen,
von Flugzeugträgern startend, den
US-Flottenstützpunkt Pearl Harbor an.
USA tritt offiziell in den Krieg ein.

1941

13. April
Japan und die UdSSR
unterzeichnen
Neutralitätsabkommen.

8. Dezember
Invasion japanischer Truppen
auf den Philippinen und der
malaiischen Halbinsel;
Besetzung Hongkongs

25. Dezemb
Hongkong fäl
japanische Ha

16. Oktober
General Hideki Tojo wird
japanischer Ministerpräsident.

11. Dezember
Deutschland und
Italien erklären den
USA den Krieg.

31. Mai
Ende Mai schließen die Japaner
ihre Besetzung Niederländisch-
Indiens, der Philippinen und
Birmas (Myanmars) ab.

18. April
Amerikanische Flugzeuge bombardieren
Tokio (Doolittle-Angriff).

14. Juli
Indische Nationalisten unter Mohandas
(Mahatma) Gandhi starten die „Quit
India!"-Bewegung gegen die britische
Herrschaft in Indien.

15. Februar
Die Truppen der britischen
Garnison in Singapur kapitulieren
vor den Japanern.

8. Mai
In der Schlacht im Korallenmeer
bekämpfen sich amerikanische
und japanische Flugzeugträger.

1942

9. April
Die Philippinen-Halbinsel Bataan
fällt in japanische Hand.

7. Juni
Durch Versenkung von
vier japanischen Flugzeugträgern
entscheidet die US Navy
die Schlacht bei den
Midway-Inseln für sich.

8. August
Auf der Salomon-Insel Guadalcanal
erobern amerikanische Truppen die
Landebahn von Henderson Field.

19. Februar
Japan fliegt Bombenangriffe
auf die australische Stadt Darwin.

12. Juli
Auf Neuguinea beginnen
Kämpfe zwischen australischen
und japanischen Truppen.

Asien und Pazifik 1940

- Britische Besitzungen
- Französische Besitzungen
- Japan und japanische Besitzungen
- Niederländische Besitzungen
- USA und deren Besitzungen

Asien und Pazifik, 1940
Die Niederlande, England und Frankreich hatten Kolonien in Asien, die Philippinen waren unter amerikanischer Kontrolle. Japan wollte Niederländisch-Indien besetzen und hatte bereits einen großen Teil Chinas und Korea besetzt.

Mächtige Flotte
Japan hatte die stärkste Flotte im Pazifik. Die USA, die sich von Japan wie Deutschland bedroht fühlten, beschlossen 1940, zur See aufzurüsten, um im Atlantik und Pazifik zugleich Krieg führen zu können. Der japanischen Führung war bewusst, dass sie die Amerikaner zu Wasser besiegen konnten, sofern sie den Erstschlag führten, bevor die maritime Aufrüstung richtig begonnen hatte.

PEARL HARBOR

Fast 2400 Amerikaner und 64 Japaner kamen in Pearl Harbor ums Leben.

AM 7. DEZEMBER 1941 griffen japanische Kampfflugzeuge die amerikanische Flotte an, die im hawaiianischen US-Kriegshafen Pearl Harbor lag. Da den Luftschlägen keine Kriegserklärung vorausging, kamen sie völlig überraschend. 18 Kampfschiffe wurden beschädigt oder versenkt, fast 200 Flugzeuge am Boden zerstört. Der „heimtückische" Überfall steigerte jedoch die Entschlossenheit der Amerikaner.

ACHSE BERLIN-ROM-TOKIO

Im September 1940 unterzeichnete Japan formell einen Dreimächtepakt mit Deutschland und Italien. Großbritannien lag noch mit Deutschland im Krieg, und Frankreich war wie die Niederlande bereits besiegt. So nutzten die Japaner die Gelegenheit zum Angriff auf die asiatischen Besitzungen dieser Kolonialmächte. Präsident Roosevelt glaubte, die drei Achsenmächte könnten nun planen, „sich in einem letzten Schritt gegen die Vereinigten Staaten zusammenzuschließen".

Verheerender Luftschlag

Die erste Welle japanischer Kampfflugzeuge erschien um 7.48 Uhr über Pearl Harbor. Es war ein Sonntag. Viele US-Fliegersoldaten hatten nur Wochenendbereitschaft und lagen noch in ihren Betten, als die ersten Bomben auf die im Hafen liegenden Kriegsschiffe fielen. Die Mitsubishi-„Libellen" vernichteten die amerikanischen Maschinen am Boden.

Zerstörte US-Kriegsschiffe

Der japanische Angriff richtete unter den Schiffen im Hafen und an den Ankerplätzen davor ein Chaos an. Die drei größten US-Schlachtschiffe sanken. Bei der Explosion der *Arizona* kamen fast tausend Mann ums Leben. Die Amerikaner hatten Glück, dass ihre drei Flugzeugträger auf See waren und so unversehrt blieben.

Heldenhafter Widerstand

Die amerikanischen Soldaten bemühten sich nach Kräften um eine wirksame Fliegerabwehr. Auch der Schiffskoch Dorie Miller wurde für seinen Maschinen-gewehr-Einsatz bei der Abwehr der japanischen Flieger ausge-zeichnet.

„Denkt an Pearl Harbor"

Die Erinnerung an Pearl Harbor wurde dafür benutzt, um das amerikanische Volk darin zu einen: Es sollte energischer auf eine Niederlage Japans hinarbeiten. Die meisten Amerikaner hassten die Japaner weitaus mehr als ihre deutschen oder italienischen Feinde.

... we here highly resolve that these dead shall not have died in vain ...

REMEMBER DEC. 7th!

63

KRIEGSEINTRITT DER USA

DIE EMPÖRUNG ÜBER DEN ANGRIFF auf Pearl Harbor führte in Amerika zu einer einhelligen Befürwortung des Kriegseintritts. Beinahe unverzüglich begann der Krieg mit Deutschland und Italien, ebenso mit Japan. Mögen die Amerikaner sich auch für Krieg entschieden haben, so waren sie doch nicht auf ihn vorbereitet. Trotz erhöhter Kriegsproduktion mussten Millionen Zivilisten zu Soldaten ausgebildet und weitere Industriebereiche völlig auf die Kriegsproduktion umgestellt werden.

Tag der Schande
Am Tag nach dem Angriff auf Pearl Harbor sprach Präsident Roosevelt vor dem amerikanischen Kongress: Der 7. Dezember sei ein Datum, „das in Schande fort leben" werde, dann eröffnete er den Kampf bis zum Sieg über Japan.

Hitlers Kriegserklärung
Nach dem japanischen Angriff auf Pearl Harbor erklärten die USA Japan den Krieg. Daraufhin erklärten die Verbündeten Japans, Deutschland und Italien, den USA den Krieg. Somit stand nun auch Amerika im direkten Kampf gegen alle drei Staaten.

Europa zuerst

Amerikas Kriegseintritt ließ Großbritannien aufatmen. Ende Dezember 1941 traf sich Präsident Roosevelt mit Premierminister Churchill in Washington auf der Arcadia-Konferenz. Sie beschlossen das Programm „Europa zuerst": Zunächst wollte man Deutschland besiegen und den Krieg gegen Japan so lange zurückstellen.

Internierte Japaner

Etwa 120 000 Amerikaner japanischer Herkunft wurden von den USA in Internierungslager gesteckt. Gründe dafür waren rassistische Vorurteile, aber auch Kriegshysterie und ein Versagen der politischen Führung. Amerikaner deutscher oder italienischer Abstammung wurden nicht interniert. Den japanischstämmigen Überlebenden der Internierungslager wurde 1988 eine Entschädigung zugesprochen.

DISKRIMINIERUNG IM HEER

Dieses Foto des Boxers Joe Louis sollte die schwarzen Amerikaner dazu bewegen, sich im Krieg zu engagieren. Im Heer der USA jedoch herrschte Rassentrennung, und die Schwarzen dienten in anderen Einheiten als die Weißen. Viele schwarze Amerikaner erwiesen sich als äußerst tapfere Soldaten.

Pvt. Joe Louis says—

„We're going to do our part ... and we'll win because we're on God's side"

Rekrutenaushebung

Mit der 1940 eingeführten Wehrpflicht wuchs das amerikanische Heer auf eine stattliche Größe an. Viele einfache Soldaten (genannt „GIs") kamen erst ein Jahr nach Kriegseintritt ihres Landes mit dem Feind in Berührung.

Doolittles Bomber

Im April 1942 führte der US-Oberstleutnant Doolittle ein Bombergeschwader zu einem Angriff auf die japanische Hauptstadt Tokio. Sie lag außerhalb der Reichweite landgestützter US-Bomber, daher starteten die Flieger von einem Flugzeugträger aus. Diese Maßnahme sollte die amerikanische Kampfmoral stärken.

JAPANS SIEGE

DIE ANFANGSERFOLGE DER JAPANER waren
spektakulär. Nach sechs Monaten hatten sie
die Philippinen, Malaya, Singapur, Niederländisch-Indien und Birma (Myanmar)
erobert. Unterstützt von Marine und
Luftwaffe, kämpften die japanischen
Soldaten mit großer Entschlossenheit.
Das rasche Vordringen führte sie
an die Grenzen Britisch-Indiens.
Australien sah sich von einem
japanischen Einmarsch bedroht.

Weihnachtliche Machtübernahme
Die Japaner griffen auch die britische Kronkolonie Hongkong an. Die Briten
und ihre indischen und kanadischen Mitkämpfer mussten am Weihnachtstag
1941 schließlich kapitulieren. Mit der japanischen Besatzung kam für einige
Jahre Not und Elend über die Stadt. Fast 1 Mio. Menschen flohen auf der
Suche nach Nahrung nach China.

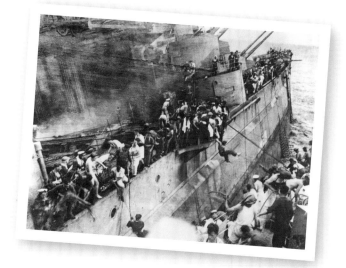

Schlachtschiffe versenkt
Am 10. Dezember 1941 wurden die beiden britischen
Kriegsschiffe *Prince of Wales* und *Repulse* versenkt, die
Malaya, dem Westteil von Malaysia, zu Hilfe eilten.
Mehr als 800 Seeleute kamen ums Leben. Großbritannien
hatte nicht die Mittel, um gleichzeitig gegen Japan und
Deutschland zu kämpfen.

Hochmobiles Heer
Die Japaner bewegten sich im Dschungelgelände
mit erstaunlicher Geschwindigkeit. Nur mit dem
nötigsten Proviant versehen, verzichteten die
Soldaten häufig auf Lkws und Panzer
und nahmen stattdessen das Fahrrad.

Gefangenenlager Tschangi

Eines der größten japanischen Kriegsgefangenenlager befand sich bei Tschangi in Singapur. Viele britische und australische Soldaten waren in Singapur kurz vor dessen Fall eingetroffen und waren nun sehr verbittert, dass sie kampflos hatten kapitulieren müssen.

Singapur gefallen

Im Februar 1942 eroberten die Japaner die britische Garnison in Singapur. Der Anblick englischer Offiziere, die vor den Japanern kapitulierten, war ein Schock für ein Land, dem die „rassische Überlegenheit" der Weißen als Selbstverständlichkeit galt. Die Kolonialmacht Großbritannien hat sich davon nie wieder erholt.

Todbringender Schienenstrang

1942 begannen die Japaner mit dem Bau einer Einbahnverbindung zwischen Birma (Myanmar) und Siam. Etwa 200 000 asiatische Arbeiter und 60 000 Kriegsgefangene wurden beim Bau dieses „todbringenden Schienenstrangs" eingesetzt. Die Hälfte der Asiaten und mehr als ein Viertel der Gefangenen fielen Krankheiten und Misshandlungen zum Opfer. Als die Strecke im Oktober 1943 fertig war, wurden die meisten der überlebenden Kriegsgefangenen zum Arbeitseinsatz nach Japan gebracht.

Japanische Eroberungen

Im Juni 1942 war Japan an alle kriegswichtigen Rohstoffe gelangt. Von ganz besonderer Bedeutung war das Erdöl aus Niederländisch-Indien und der Rohgummi aus Malaya. Japan gedachte sich mit einem Schutzring gegen die Amerikaner zu umgeben.

Japanische Eroberungen

Äußerer Rand des bis Juni 1942 von Japan eroberten Land- und Seegebiets

GEGEN-SCHLÄGE

IM AUGUST 1942 gingen die USA und ihre Verbündeten zum Angriff über und begannen, die Japaner über den Pazifik zurückzudrängen. Marineinfanteristen landeten auf der Salomonen-Insel Guadalcanal. Die Landebahn eines japanischen Feldflughafens konnte erobert und als „Henderson Field" gehalten werden. Zu Land, zur See und in der Luft wurden eine Reihe von schweren Gefechten ausgetragen. Der Feldzug selbst endete im Februar 1943 mit einem amerikanischen Sieg. Zu dieser Zeit waren die Japaner auch auf Neuguinea bereits geschlagen.

Die Marineinfanterie
Die Marineinfanteristen spielten im pazifischen Krieg eine große Rolle. Diese speziell für Landungsunternehmen ausgebildeten Truppen waren bei Angriffen auf von Japanern gehaltene Inseln unentbehrlich. Auf Guadalcanal erwiesen sie sich als zähe, nahkampftaugliche Soldaten, die mit karger Versorgung auskamen.

Kaktus-Geschwader
Der amerikanische Marineflieger Joe Foss schoss bei den Kämpfen um Guadalcanal 26 japanische Maschinen ab. Damit war er der erfolgreichste Jagdflieger des Kaktus-Geschwaders, wie die Flieger vom Henderson-Stützpunkt genannt wurden. Sie verhinderten, dass japanische Kriegsschiffe bei Tageslicht operieren konnten.

Stützpunkt im Dschungel
Der Dschungelkrieg setzte den Soldaten körperlich sehr zu. Malaria, Denguefieber und Ruhr waren an der Tagesordnung. Die Marinesoldaten hausten in verschlammten Hütten und hatten es bei den Japanern mit einem Feind zu tun, der sich gut zu tarnen wusste.

Japanische Kriegsgefangene auf Guadalcanal
Viele japanische Soldaten kamen bei Massen-Selbst-
mordeinsätzen ums Leben, zogen sie doch den Tod der
Gefangennahme vor. So fielen zwar 25 000 Japaner, doch
nur 1000 ließen sich gefangen nehmen.

Verbissener Kampf zur See
Die Japaner landeten Soldaten und Nachschub nachts mit schnellen Schiffen an,
was die Amerikaner vom „Tokio-Express" sprechen ließ. Bei den fünf Seegefechten
um die Kontrolle der inselnahen Gewässer fielen etwa 5000 Amerikaner und
3500 Japaner.

Australier auf Neuguinea
In Neuguinea kämpften australische Truppen auf dem
Kokoda Track auf Neuguinea. Beide Seiten hatten
schwere Verluste durch Krankheiten und entsetz-
liche Verhältnisse. Viele japanische Soldaten
waren dem Verhungern nahe. Mit
amerikanischer Hilfe schafften
die Australier im Januar 1943
die Wende.

Koreaner arbeiten für Japaner
Korea war seit 1910 japanische Kolonie. Im Krieg mussten
Millionen Koreaner zwangsweise für die Japaner härteste
Arbeit leisten. Hunderttausende wurden zu diesem Zweck
auf die japanischen Inseln verschleppt.

ASIEN LEIDET

DIE JAPANER GABEN VOR, die Völker Asiens
vom Einfluss der westlichen Großmächte
befreien zu wollen, und nannten die von
ihnen eroberten Gebiete daher „Gemeinsame Wohlstandssphäre". In Wirklichkeit
jedoch misshandelten sie die anderen Asiaten und beuteten sie als Zwangsarbeiter aus.
Oft fehlte es diesen am Nötigsten. Viele
Menschen in Britisch-Indien wurden von den
Briten in ähnlicher Weise ausgebeutet.

China leidet
Die chinesische Bevölkerung litt im Krieg besonders schwer. Bei den
Verwüstungen der Städte durch japanisches Militär kamen Hundert-
tausende ums Leben. Sogar Giftgas setzten die Japaner in China ein.
Sie versuchten, die Beulenpest als biologische Waffe anzuwenden,
und nahmen an chinesischen Gefangenen medizinische Versuche vor.

Führer der Viet Minh
Das besetzte Frankreich ließ die Japaner unbehelligt in das französische Indochina einfallen. Ho Chi Minh, ein vietnamesischer Kommunist, gründete eine Widerstandsbewegung. Diese sogenannten Viet Minh wurden von Amerika unterstützt. Nach dem Krieg bekämpfte Ho Chi Minh die Franzosen und später die USA.

HUNGER IN BENGALEN

1943 brach in Bengalen eine furchtbare Hungersnot aus. Wetterkatastrophen führten zu Ernteausfällen, und der Krieg hinderte die britischen Behörden, die üblichen Nothilfemaßnahmen zu treffen. Die Ärmsten litten am meisten. Nach Schätzungen sollen mehrere Millionen Menschen verhungert sein.

Etwa 40 000 Inder dienten in der von Japan unterstützten Indischen Nationalarmee, die gegen Großbritannien kämpfte.

Indien uneins
Das britisch beherrschte Indien stellte mit 2,5 Mio. Mann das größte Freiwilligenheer der Geschichte, das für Großbritannien in den Krieg zog. Die indischen Nationalisten strebten jedoch an erster Stelle die Unabhängigkeit für ihr Land an, und manche kämpften daher sogar gegen die Briten.

Unterdrückung der indischen Unabhängigkeitsbewegung
1942 begründeten Mahatma Gandhi, Jawaharlal Nehru und andere Inder die Bewegung „Quit India!"(„Raus aus Indien!") und forderten die Unabhängigkeit ihres Landes von der Kolonialmacht Großbritannien. Die Briten schlugen Demonstrationen nieder und verhafteten Tausende der Nationalisten.

DAS BLATT WENDET SICH

1942 WAR DER AUSGANG des Kriegs noch offen. Deutschland und Japan hielten riesige Territorien besetzt, doch die Alliierten, insbesondere die Vereinigten Staaten und die UdSSR, waren die potenziell mächtigeren Länder. Sie vermochten mehr Panzer, Flugzeuge und Schiffe zu produzieren als der gemeinsame Feind. Dadurch kam es zur Wende. Im Sommer 1944 war es nicht mehr die Frage, ob die Alliierten siegen würden, sondern nur noch, wann.

Landung auf Sizilien
Britische Soldaten greifen am 25. Juli 1943 bei der alliierten Invasion auf Sizilien einen Bahnhof an.

30. Mai
Die britische Luftwaffe fliegt den ersten 1000-Bomber-Luftangriff auf Köln.

13. September
Zwischen deutschen und sowjetischen Truppen entbrennt die Schlacht um die Kontrolle der sowjetischen Stadt Stalingrad.

14. Januar
Präsident Roosevelt und Premierminister Churchill fordern auf der Konferenz in Casablanca bedingungslose Kapitulation Deutschlands und seiner Verbündeten.

20. Januar
Auf der Wannseekonferenz erörtern NS-Ministerialbeamte mit der SS Pläne zur Ausrottung der europäischen Juden.

19. August
Bei einem Angriff auf Dieppe erleiden kanadische und britische Truppen schwere Verluste.

8. November
Amerikaner und Engländer landen in Französisch-Nordafrika (Marokko und Algerien).

1942

30. Juni
Im Wüstenkrieg drängt Rommels Afrikakorps die Engländer auf das ägyptische El-Alamein zurück.

23. Oktober
Briten und Commonwealth-Truppen greifen das Afrikakorps in der Schlacht bei El-Alamein an und besiegen es bis zum 2. November.

31. Januar
Die in Stalingrad eingeschlossenen deutschen Truppen kapitulieren vor der sowjetischen Armee.

24. Juli
Britische und amerikanische
Bomber vernichten einen großen
Teil der Stadt Hamburg.

13. Mai
Der Krieg in Nordafrika
endet mit der Kapitulation
der Achsentruppen in Tunis.

3. September
Königreich Italien schließt Waffenstill-
standsabkommen mit Alliierten. Deutsche
Truppen besetzen Mittel- und Norditalien und
widersetzen sich alliiertem Übergreifen auf das
Festland. Hitler lässt Mussolini befreien und
ihn zum Chef der faschistischen „Italienischen
Sozialrepublik" machen (bis 1945).

10. Juli
Alliierte Truppen
landen auf Sizilien.

18. Mai
Nach einer der blutigsten Schlachten des
Zweiten Weltkriegs durchbrechen alliierte
Truppen die deutsche Verteidigungslinie
bei Monte Cassino.

15. Februar
Alliierte Bomber zerstören das
italienische Festungskloster Monte
Cassino und töten 250 Zivilisten,
die sich dorthin geflüchtet hatten.

22. Juni
Ein japanischer Einfall nach
Indien von Birma (Myanmar)
aus wird mit der Schlacht bei
Imphal zurückgewiesen.

1943	1944

24. Mai
Deutsche U-Boote werden
nach schweren Verlusten aus
dem Atlantik abgezogen.

25./27. Juli
Mussolini als italienischer Regierungschef
entlassen und verhaftet. Zusammenbruch
der faschistischen Regierung, Auflösung
und Verbot der faschistischen Partei.

6. Juni
Die Invasion: Alliierte Armeen
landen an der französischen
Normandieküste.

9. Juli
US-Truppen vollenden
die Einnahme der
Pazifik-Insel Saipan.

16./17. Mai
In einem Nachtangriff
zerstört die britische
Luftwaffe mit speziellen
Rollbomben Talsperren
im heutigen Nordrhein-
Westfalen und Hessen.

12. Juli
Sowjetische Truppen besiegen
die Deutschen in der großen
Panzerschlacht bei Kursk.

28. November
Roosevelt, Churchill und
Stalin treffen zur Konferenz
in Teheran zusammen.

19.–20. Juni
Die japanische Kriegsmarine erleidet
in der Schlacht im Philippinenmeer
eine vernichtende Niederlage.

DIE USA RÜSTEN SICH FÜR DEN KRIEG

DER SCHLÜSSEL ZUM KRIEGSERFOLG der USA lag in ihrem ungeheuren Industriepotenzial und den Rohstoffressourcen. Die amerikanischen Fabriken stießen kriegswichtige Güter in gewaltigen Mengen aus: Kriegsschiffe, Kampfflugzeuge, Lastwagen, Bomben und Granaten. Diese Produktion veränderte die amerikanische Gesellschaft und machte die USA bis 1945 zum reichsten und mächtigsten Land der Erde.

In den Krieg investieren
Zum Teil wurden die amerikanischen Kriegsanstrengungen über Steuererhöhungen finanziert, doch die Regierung nahm auch Kredite bei amerikanischen Sparern auf, die sie als patriotische Pflicht ansahen. Durch diese Anleihen wurden 18 Mrd. Dollar aufgebracht.

Maß halten
Vieles wurde in den USA rationiert, wie Treibstoffe, Fleisch, Reifen und Kaffee. Einige Konsumgüter wurden gar nicht mehr angeboten, damit die Hersteller sich der Waffenproduktion widmen konnten. Insbesondere Gummi war äußerst knapp.

Gute Zeiten
Trotz Rationierung kamen mit dem Krieg für viele Amerikaner gute Zeiten. Menschen, die in der Krise der Dreißigerjahre arbeitslos gewesen waren, fanden nun bei guten Löhnen Beschäftigung. Pferderennen und Kinofilme wurden zu Massenattraktionen. Für solche Freizeitvergnügungen gaben die Menschen ihr Geld aus und ließen es damit wieder in die Wirtschaft fließen.

Unterhaltung in Kriegszeiten
Die amerikanische Unterhaltungsindustrie war bemüht, die Kriegsanstrengungen patriotisch zu unterstützen. Sänger, Musiker, Komiker
und Hollywoodstars sorgten für die Truppenbetreuung. Der Komiker
Bob Hope war besonders beliebt.

Während des Kriegs wurden in Amerika
18 000 Boeing-Bomber B-24 und
30 000 Douglas-Transportmaschinen
produziert.

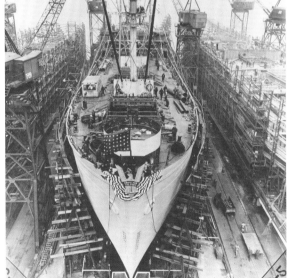

Mobilität der Afroamerikaner
Der Arbeitskräftemangel veränderte die Lage der schwarzen Amerikaner aus
den Südstaaten ganz erheblich. Hunderttausende zogen nach Norden und
an die Westküste in die Städte und übernahmen Arbeitsplätze, die zuvor
den Weißen vorbehalten waren. Sie verdienten mehr Geld als anderswo
und gründeten in Städten wie Los Angeles eigene Gemeinden.

Liberty-Schiffe
Das „Meisterstück" der amerikanischen Rüstungsindustrie
war die Massenfertigung von Schiffen und Flugzeugen.
Mehr als 2500 Liberty-Frachter wurden gebaut. Statt
wie bei gewöhnlichen Kriegsschiffen ein Jahr, benötigte
man für eine Liberty-Einheit nur gut sechs Wochen.
Kriegsschiffe wurden schneller gebaut als versenkt.
Bei Kriegsende gab es mehr als hundert amerikanische
Flugzeugträger.

„Die industrielle Genialität Amerikas ist aufgerufen, ihre Mittel und Talente einzusetzen … Wir brauchen mehr Schiffe, mehr Kanonen, mehr Flugzeuge – mehr von allem. Wir müssen die große Rüstkammer der Demokratie sein."

Der amerikanische Präsident Franklin D. Roosevelt, 29. Dezember 1940

Frauen tragen zur Massenproduktion von Bombern
in einer amerikanischen Flugzeugfabrik bei.

FRAUEN IM KRIEGSEINSATZ

IN DIESEM WELTKRIEG kämpften nur wenige Frauen mit der Waffe, doch „Kriegsdienst" leisteten sie auf vielerlei Weise – von der Flugzeugmontage bis hin zum Einsatz als Kraftfahrerinnen. Doch der Krieg machte auch das Leben zur Mühsal. Viele Frauen mussten allein für den Unterhalt der Familie sorgen. Der Arbeitstag der außer Haus beschäftigten Frauen war lang, der Lohn gering. In vielen Ländern brachten Bombenangriffe oder Besatzungstruppen Leid über die Bevölkerung.

Frauenarbeit
Dieses berühmte Plakat aus dem letzten Weltkrieg sollte die Amerikanerinnen motivieren, in der Kriegswirtschaft zu arbeiten. Millionen von ihnen verrichteten die kurz zuvor noch verachtete Industriearbeit. Die hier abgebildete „Nietenhammer-Rosie" steht stellvertretend für alle diese Fabrikarbeiterinnen.

Pflegedienst an Verwundeten
Im Militär waren die meisten Frauen als Sanitäterinnen im Kriegseinsatz. Auf jedem Kriegsschauplatz folgte weibliches Sanitätspersonal der kämpfenden Truppe. Es verlangte viel Mut, während der Gefechte der Sanitätsarbeit nachzugehen.

Landarbeit
In vielen Ländern wurde die Landarbeit von Frauen verrichtet. In Deutschland arbeiteten z. B. 6 Mio. Frauen in der Landwirtschaft. In Großbritannien verrichteten 80 000 Frauen in der Women's Land Army ihren Dienst.

Luftraumüberwachung
Frauen wurden auch als Luftwaffenhelferinnen bei der Flugabwehr und zur Arbeit in der Rüstungsindustrie eingesetzt. Deutsche Flakhelferinnen prüften z. B. nach feindlichen Bombenangriffen Fehler und Abweichungen, die sie genau aufzeichneten.

Frauen in Uniform

Die meisten Frauen in den Streitkräften beteiligten sich nicht direkt an Kämpfen, sondern nahmen andere wichtige Funktionen wahr. In den USA konnten die Frauen zum Women's Army Corps gehen oder zu den Women Accepted for Voluntary Emergency Services, den Hilfsdiensten des Heers, und der Marine.

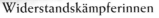

Japanische Arbeiterinnen

Der Krieg veränderte die Rolle der japanischen Frau, die traditionell als absolut zweitrangig gegenüber dem Mann behandelt worden war. Da die Männer in den Streitkräften waren, fanden die Frauen neue Tätigkeitsfelder im Bergbau, in der Waffenfabrikation und in der Stahlerzeugung.

Widerstandskämpferinnen

Mit der Waffe kämpften Frauen bei den regulären Truppen eher selten, in den Widerstandsbewegungen war dies wesentlich öfter der Fall. Der Partisanenkrieg wurde von Männern und Frauen geführt. Diese Italienerinnen kämpften in Mittel- und Norditalien gegen die Deutschen und die italienischen Faschisten.

Kampffliegerinnen

Nur in der Sowjetunion wurden Kampfeinsätze von Frauen geflogen. In Großbritannien hatten Pilotinnen andere Aufgaben, z. B. überführten sie Flugzeuge zu den Stützpunkten. Pauline Gower (oben) rief die weiblich besetzte Abteilung der Air Transport Auxiliary ins Leben.

ALLIIERTE SIEGEN IN NORDAFRIKA

DER WÜSTENKRIEG IN NORDAFRIKA nahm 1942 eine Wendung zugunsten der Alliierten. Die britische 8. Armee brachte die Offensive von Rommels Afrikakorps zum Stehen – zunächst bei Alma Halfa, dann in der Schlacht bei El-Alamein. Anschließend landeten die Alliierten in Französisch-Nordafrika mit Truppen an, sodass die Achsenkräfte einem Zangenangriff ausgesetzt waren. Die in Französisch-Nordafrika landenden Amerikaner erlitten schwere Verluste, doch letztlich wurden die Deutschen dort geschlagen.

Montgomery übernimmt Verantwortung

Im August 1942 wurde General Bernard Montgomery Oberbefehlshaber der 8. Armee. Der Sieg bei El-Alamein trug ihm großen Ruhm ein. 1945 nahm er die Kapitulation aller deutschen Truppen in Nordwestdeutschland, den Niederlanden und Dänemark entgegen. Danach stand er den britischen Besatzungstruppen in Deutschland vor.

Multinationale Montgomery-Armee

Die bei El-Alamein siegreiche 8. Armee war eine multinationale Streitmacht. Neben Briten spielten auch Commonwealth-Truppen eine bedeutsame Rolle – Neuseeländer, Australier, Südafrikaner und Inder. Soldaten des Freien Frankreichs und Polens leisteten ebenfalls ihren Beitrag.

Schlacht bei El-Alamein

Der Kampf begann mit einem britischen Nachtangriff. Nach massiver Artillerievorbereitung gingen die Truppen zum Angriff vor. Zunächst hatte es den Anschein, dass den Briten der Durchbruch nicht gelingen würde. Die 8. Armee aber war zahlenmäßig doppelt so stark wie der Gegner, sodass die Abwehrfront der Achsenmächte schließlich zusammenbrach.

Wüstenflieger
Die britische Luftwaffe trug entscheidend zum Sieg in der Wüste bei. Die Flieger hausten in Zelten am Rande der Wüstenpisten, oft versandeten die Vergaser der Flugzeugmotoren. Und es gab keine Deckung vor feindlichen Luftangriffen.

Etwa 200 000 alliierte Soldaten kämpften bei El-Alamein. Sie verfügten über mehr als 1200 Panzer.

„UNTERNEHMEN TASCHENLAMPE"

Bei der Landung in Französisch-Nordafrika an drei Punkten mussten die amerikanischen Soldaten ans Ufer waten. Die drei Operationen begannen vor Morgengrauen, daher ihr Name „Unternehmen Taschenlampe".

Achsenmächte strecken die Waffen
Nach El-Alamein und den Landungen der USA beorderte Hitler weitere Truppen nach Afrika. Von den Alliierten in Tunesien in die Enge getrieben, kapitulierten 1943 mehr als 200 000 deutsche und italienische Soldaten.

Schwer erkämpfter Sieg
Nach der Niederlage bei El-Alamein setzten Rommels Truppen sich erfolgreich westwärts ab. Die italienischen und deutschen Verbände kämpften nach der Landung der Amerikaner noch fünf Monate lang weiter, ehe sie schließlich aufgaben.

Feldzug in Nordafrika
→ Alliierter Vormarsch

81

MUSSOLINIS STURZ

IM JULI 1943 landeten die Alliierten auf Sizilien. Dies führte schließlich zum Sturz Mussolinis. Das faschistische System brach in sich zusammen. Das italienische Königreich schloss einen Waffenstillstand mit den Alliierten. Die Deutschen besetzten Mittel- und Norditalien und verhinderten zunächst die alliierte Landung auf dem Festland.

Bei den Kämpfen in Italien zwischen 1943 und 1945 wurden mehr als 90 000 Soldaten der Alliierten getötet.

Invasion willkommen
Die Alliierten landeten, zumeist über See kommend, im Juli 1943 auf Sizilien. Widerstand leisteten hauptsächlich die mit den Italienern verbündeten Deutschen, denn den kriegsmüden Italienern waren die Ankömmlinge lieber als die Fortsetzung des Kampfes.

Alliierte Landungen in Italien

→	Vormarsch der Alliierten
—	Deutscher Frontverlauf, 25. September 1943
– – –	Deutscher Frontverlauf, 31. März 1944
······	Deutscher Frontverlauf, 31. März 1944

Die Invasion Italiens
Nachdem die Alliierten von Nordafrika aus Sizilien besetzt hatten, versuchten die britischen und amerikanischen Truppen, auf dem Festland zu landen. Die Deutschen stoppten den Vormarsch nordwärts auf einer Linie, deren Zentrum das Festungskloster Monte Cassino bildete. Eine Truppenanlandung im Rücken der Deutschen bei Anzio blieb folgenlos, erst im Juni 1944 befreiten die Alliierten Rom von der deutschen Herrschaft.

Faschisten setzen Mussolini ab
Mussolini wurde vom Großen Faschistischen Rat abgesetzt und der italienische König Viktor Emanuel III. ließ ihn gefangen nehmen. Die kriegsmüden Italiener nahmen diese Nachricht überwiegend positiv auf. Doch damit geriet die Bevölkerung Mittel- und Norditaliens unter die Herrschaft der Deutschen, die diese Gebiete besetzten.

Deutsche Befreiung Mussolinis

In einer Operation aus der Luft befreite eine deutsche Sondereinheit Mussolini aus der Gefangenschaft. Man brachte ihn in den von Deutschland kontrollierten Teil Italiens.

Monte Cassino

Die Bombardierung der Festung auf dem Monte Cassino zählt zu den umstrittensten Vorkommnissen des Krieges. Das mittelalterliche Kloster lag im Zentrum der deutschen Abwehrstellungen. Im Februar 1944 wurde es von alliierten Bombern dem Erdboden gleichgemacht, 250 Zivilisten, die sich dorthin geflüchtet hatten, starben. Die Bombardierung verhalf den Alliierten jedoch nicht zum Durchbruch.

Landung bei Anzio

Im Januar 1944 landeten alliierte Truppen zwischen den deutschen Linien bei Anzio. Sie bewegten sich jedoch nicht rasch genug landeinwärts und gerieten in einen deutschen Gegenangriff. Die Kämpfe zogen sich noch über Monate hin.

Rom von Alliierten besetzt

Im Juni 1944 erklärte die Wehrmacht Rom zur offenen Stadt und überließ sie den Alliierten kampflos. Die Alliierten wurden von den Einheimischen als Befreier begrüßt. Die Deutschen kämpften im Norden Italiens weiter.

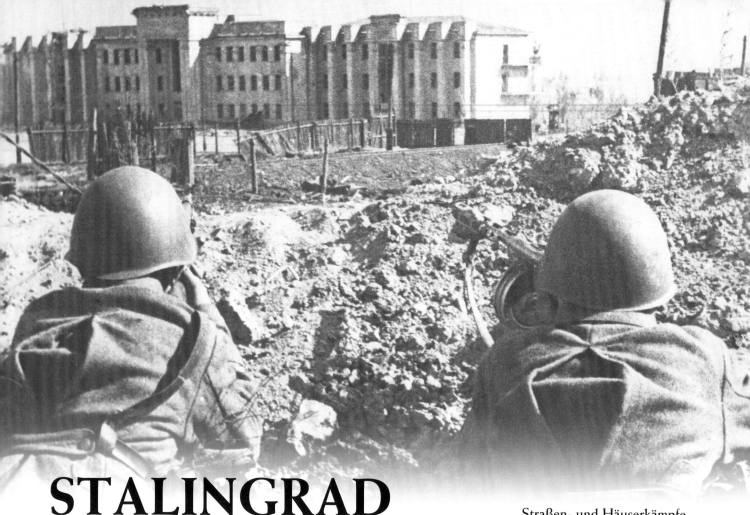

STALINGRAD

1942 DRANG DIE WEHRMACHT tief in sowjetisches Territorium ein. Im Herbst kesselte die sowjetische Rote Armee deutsche Truppen in der Stadt Stalingrad (heute Wolgograd) ein. Der äußerst verlustreiche Kampf zog sich über fünf Monate hin und endete mit der deutschen Niederlage. Nach Stalingrad glaubten auch die meisten deutschen Generäle nicht mehr an einen deutschen „Endsieg".

Straßen- und Häuserkämpfe
Die deutschen und die sowjetischen Soldaten kämpften um jedes Haus und jeden Straßenzug. Oft befanden sich Freund und Feind im selben Gebäude und hielten verschiedene Stockwerke oder Räume. Die Stadt wurde in Schutt und Asche gelegt. Stalin gestattete erst sehr spät, dass die Bewohner der 600 000-Einwohner-Stadt evakuiert werden dürfen. So kämpften rund 75 000 verbliebene Zivilisten verzweifelt um ihr Überleben.

Scharfschützen
Bei den Straßenkämpfen in Stalingrad waren die Scharfschützen von großer Bedeutung, die feindliche Soldaten auf große Entfernung erschießen konnten. Wassili Saizew wurde für seine vielen Todesschüsse als „Held der Sowjetunion" ausgezeichnet.

Massengrab Stalingrad
Die deutschen Truppen nahmen Stalingrad ein, doch noch während sie in der Stadt kämpften, wurden sie von sowjetischen Soldaten eingeschlossen. Alle Versuche der Deutschen, den Kessel von außen zu eingeschlossenen Truppen hin zu durchbrechen, scheiterten. Hitler hatte den eingeschlossenen Soldaten zudem jeden Rückzug verboten.

SOWJETISCHER BEFEHLSHABER

An der Spitze der sowjetischen Truppen in Stalingrad stand General Wassili Tschuikow (2. v. l.). Er war ein energischer, entschlossener Oberbefehlshaber. Er sagte: „Wir werden die Stadt verteidigen oder beim Versuch fallen." Die Rote Armee hatte bei der Schlacht um Stalingrad mehr als 500 000 Tote zu beklagen.

Versorgung aus der Luft

Die eingeschlossenen deutschen Truppen konnten nur noch aus der Luft versorgt werden. Die Ju-52-Transportmaschinen flogen riskante Einsätze zu verschneiten und vereisten Pisten, konnten aber nur einen Bruchteil des benötigten Nachschubs heranschaffen.

Paulus kapituliert

Die deutschen Truppen im Süd- und Nordteil des Kessels kapitulierten Ende Januar und Anfang Februar 1943 vor den sowjetischen Truppen. Die Männer waren dem Verhungern nahe, und es bestand keinerlei Hoffnung auf eine Befreiung. Hitler war wütend, glaubte er doch, der deutsche Befehlshaber, Generalfeldmarschall Friedrich Paulus, habe die Wehrmacht durch die Aufgabe entehrt.

Mehr als 1 Million Menschen starben bei den Kämpfen um Stalingrad, Soldaten wie Zivilisten — gefallen, erfroren, verhungert.

Marsch in die Gefangenschaft

Über 90 000 deutsche und verbündete Soldaten gerieten bei Stalingrad in sowjetische Gefangenschaft. Die Männer waren halb verhungert und erfroren. Nur 6000 von ihnen kehrten bis 1956 als Spätheimkehrer nach Deutschland zurück.

SOWJETS DRÄNGEN DEUTSCHE TRUPPEN ZURÜCK

NACH DEM SIEG BEI STALINGRAD drängte die Rote Armee die Wehrmacht auf das Gebiet des Deutschen Reichs zurück. In eineinhalb Jahren war das sowjetische Territorium von fremden Truppen befreit. Dies kostete einen ungeheuren Preis an Menschenleben und Kriegsmaterial. Auch die Deutschen und ihre Verbündeten wurden in den schweren Schlachten an der Ostfront durch große Menschen- und Materialverluste geschwächt.

„Stalinorgeln"
Die Sowjets benutzten auf Lkws montierte Mehrfachraketenwerfer. Die Geschosse erzeugten ein schrilles Pfeifen und zeigten eine große Sprengwirkung. Bei den deutschen Soldaten hießen sie „Stalinorgeln". Diese Raketenwerfer waren ein typisches Produkt sowjetischer Rüstung: einfach zu handhaben, mühelos und kostengünstig in Massen herzustellen und von beeindruckender Wirkung.

Panzerschlacht bei Kursk
Die Schlacht im Kursker Bogen im Sommer 1943 war die größte Panzerschlacht der Weltgeschichte und leitete den endgültigen Rückzug der deutschen Wehrmacht ein. Von beiden Seiten wurden mehr als 6000 Panzer in den zehntägigen Kampf geschickt, zudem griffen Schlachtflieger ein. Der Konflikt endete mit einem sowjetischen Sieg, obwohl die Sowjets mehr Panzer und Flugzeuge verloren als die Deutschen.

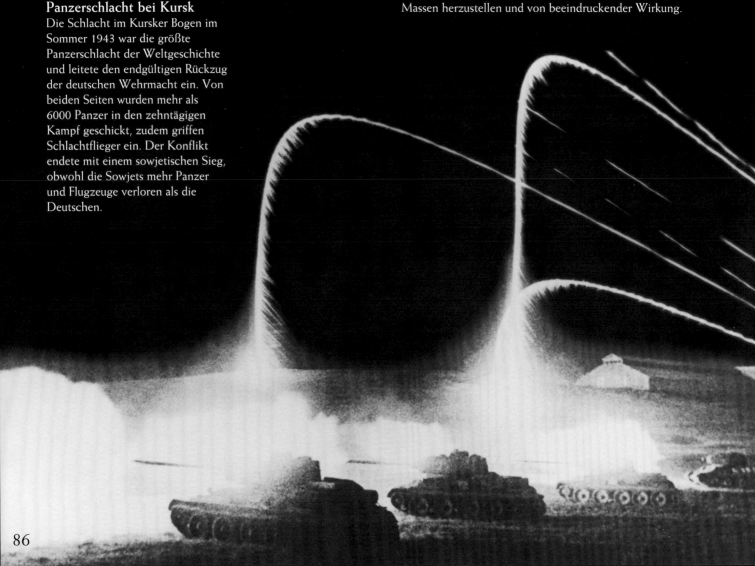

Sowjetischer Vordenker

Der führende Kopf hinter den sowjetischen Siegen war Marschall Georgi Schukow. Seit der Verteidigung Moskaus im Dezember 1941 bis zur Einnahme Berlins im Mai 1945 war er tonangebend. Schukow widersetzte sich Stalin und hinderte den Diktator, sich zu sehr in die strategische Planung einzumischen.

Das nötige Rüstzeug

Die Ausrüstung der Roten Armee stammte meist aus sowjetischen Fabriken, die mit einfachen Maschinen und einer Arbeiterschaft, die unter härtesten Bedingungen lebte, erstaunlich viel produzierte. Kriegsmaterial, insbesondere Lkws, wurden den Sowjets auch aus den USA und England geliefert.

Sowjetischer Vormarsch 1942–1944

➤	Sowjetischer Vormarsch
——	Sowjetischer Frontverlauf, 12. Dezember 1942
- - -	Sowjetischer Frontverlauf, 1. März 1943
-·-·-	Sowjetischer Frontverlauf, 30. April 1944
·····	Sowjetischer Frontverlauf, 19. August 1944

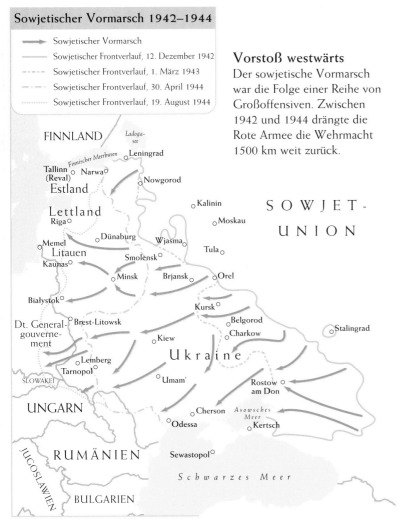

Vorstoß westwärts

Der sowjetische Vormarsch war die Folge einer Reihe von Großoffensiven. Zwischen 1942 und 1944 drängte die Rote Armee die Wehrmacht 1500 km weit zurück.

Durchwachsener Empfang

Jene Menschen, die unter den Deutschen gelitten hatten, begrüßten den Sieg der Rotarmisten. Für manche jedoch hatte der sowjetische Vormarsch bittere Folgen. Stalins Geheimpolizei rächte sich an jedem, den sie des Verrats verdächtigte. So wurden die auf der Krim beheimateten Tataren im Mai 1944 in den Fernen Osten der Sowjetunion verschleppt. Mehr als 100 000 Menschen kamen dabei zu Tode.

VERWÜSTETES LAND

Die westwärts drängenden Sowjettruppen fanden auf ihrem Weg zerstörte Städte und abgebrannte Dörfer vor. Die zurückweichenden Deutschen ermordeten die Einwohner und vernichteten Ernten, Maschinen und Gebäude so weit irgend möglich. Vieles hatten sie bereits bei ihrem Vormarsch in den Jahren 1941 und 1942 zerstört.

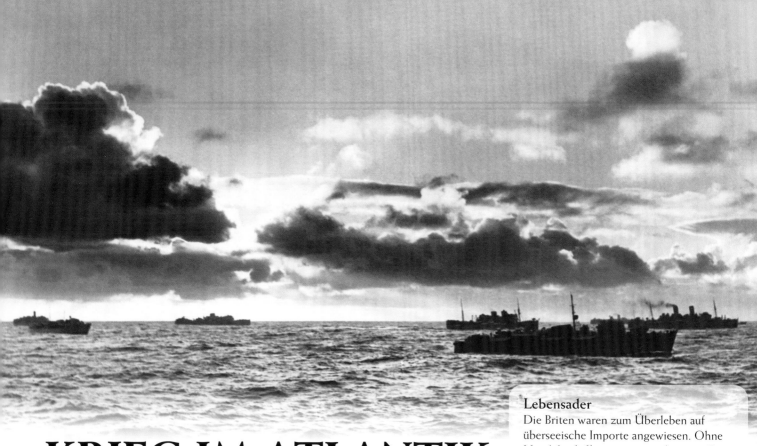

KRIEG IM ATLANTIK

HÄTTE DEUTSCHLAND DIE VERBINDUNGEN über den Atlantik zwischen Großbritannien und Nordamerika gekappt, wäre der Krieg vielleicht anders verlaufen. Zwischen 1941 und 1943 versenkten die deutschen U-Boote so viele Handelsschiffe, dass der Sieg im Atlantik nahe schien. Im Frühjahr 1943 vernichteten die Alliierten jedoch so viele U-Boote, dass diese im Krieg kaum noch eine Rolle spielten.

Lebensader

Die Briten waren zum Überleben auf überseeische Importe angewiesen. Ohne Handelsschiffe wären sie verhungert. Die USA konnten nur in den Krieg eingreifen, wenn es ihnen gelang, Menschen und Material über den Atlantik zu transportieren. Bei der Atlantiküberquerung fuhren die Handelsschiffe Geleitzüge, die von Kriegsschiffen eskortiert wurden.

Wolfsrudel

Die deutschen U-Boote versenkten viele alliierte Schiffe. Sie jagten in Gruppen, sogenannten Wolfsrudeln, griffen bei Nacht an und versenkten die Schiffe mit Torpedos. Sie tauchten, um sich Angriffen zu entziehen. Die Besatzungen lebten und arbeiteten in der Enge der kleinen Boote unter schwersten Bedingungen. In der Zeit, als sie das Kriegsgeschehen auf See bestimmten, entkamen sie meist unbehelligt.

Versenkung der *Bismarck*

Die Royal Navy versuchte die deutschen Großkampfschiffe an einer Blockade der Transatlantik-Routen zu hindern. Im Mai 1941 wurde das deutsche Schlachtschiff *Bismarck*, nachdem es den Schlachtkreuzer *Hood* versenkt hatte, von der britischen Flotte vernichtet.

Gnadenlose See

Die Seeleute der Handelsmarine lebten gefährlich. Da die U-Boote ohne Warnung angriffen, waren die Besatzungen nervös. Wurde deren Schiff versenkt, wurden zwar einige gerettet, aber Tausende Seeleute kamen ums Leben.

Fast 60 000 Seeleute kamen bei der Schlacht im Atlantik ums Leben.

Arktis-Geleitzüge

Geleitzüge, also Konvois aus Schiffen, brachten Kriegsmaterial nicht nur über den Atlantik, sondern auch in die Sowjetunion. Die „Arktis-Geleitzüge" waren gefährlich. Die Kälte und Angriffe deutscher U-Boote machten ihnen zu schaffen. Der Konvoi PQ-17 beispielsweise verlor 24 seiner 36 Schiffe.

ASDIC-ORTUNG UND WASSERBOMBEN

Britische, amerikanische und kanadische Eskorten entwickelten Verfahren zur Ortung und Bekämpfung getauchter U-Boote. ASDIC war ein System, mit dem die vom Schiffsrumpf zurück-geworfenen Schallwellen aufgefangen werden konnten. Sobald ein U-Boot geortet war, warfen Kriegsschiffe Wasserbomben, um das Boot zu vernichten.

Fliegende Patrouille

Zum Umschwung in der Schlacht im Atlantik im Frühjahr 1943 trugen viele Umstände bei. Zum einen das bessere Radar, mit dem aufgetauchte U-Boote geortet werden konnten. Zum anderen der Einbruch in den deutschen Marine-code, der den Alliierten verriet, wo die U-Boote angreifen wollten. Hinzu kam der verstärkte Einsatz von Flugzeugen. Viele U-Boote gingen auf diese Weise verloren.

CODE-KNACKER UND SPIONE

IM KRIEG IST DIE BESCHAFFUNG von Nachrichten sehr wichtig – sie verraten, was der Feind tut oder zu tun beabsichtigt. In Besitz der Informationen kam man durch Spione im Feindesland und durch Abhören gegnerischer Funkmeldungen. Diese wurden verschlüsselt abgesetzt, daher musste man sie nicht nur abfangen, sondern auch entschlüsseln. Das bedeutendste Beispiel dafür ist der Einbruch in den deutschen Enigma-Code.

Sowjetischer Spion

Der in Russland geborene Kommunist Richard Sorge war einer der wichtigsten Spione des Zweiten Weltkriegs. Der Sohn eines Deutschen und einer Russin arbeitete insgeheim als Agent der UdSSR. Er wurde nach Japan beordert und auf die japanische Regierung und die deutsche Botschaft angesetzt. Leider schenkten die Sowjets seiner Meldung, Deutschland werde im Juni 1941 die Sowjetunion überfallen, keinen Glauben. 1944 wurde er gefasst und hingerichtet.

Die Enigma-Maschine

Die Deutschen verschlüsselten ihre Funkmeldungen maschinell mit der Enigma-Maschine. Jede Information wurde von einem Räderwerk und elektrischen Schaltkreisen verschlüsselt. Die Deutschen hielten den Code für einbruchsicher. Auf der Grundlage der Arbeit des Polen Marian Rejewski konnten die Alliierten jedoch den Code der deutschen Enigma-Verschlüsselungsmaschine entschlüsseln. Viele alliierte Erfolge, wie die Landungen in der Normandie, wurden dadurch errungen.

Geheimagentin

Briten und Amerikaner schickten Geheimagenten in das von den Deutschen besetzte Europa. Sie sollten Informationen beschaffen und örtliche Widerstandsgruppen organisieren. Violette Szabo, Tochter eines Briten und einer Französin, sprang 1944 mit dem Fallschirm über dem besetzten Frankreich ab. Sie führte Partisanen der Résistance bei Sabotageakten. Am Ende wurde sie von der Gestapo gefasst, gefoltert und im KZ Ravensbrück hingerichtet.

Die Dokumente von Bletchley Park unterlagen noch 30 Jahre nach Kriegsende der Geheimhaltung.

Bletchley Park
Der Versuch, den Enigma-Schlüssel vollständig zu knacken, konzentrierte sich im englischen Bletchley Park. Um dort Mitarbeiter zu werden, genügte es manchmal, Kreuzworträtsel gut lösen zu können. So wurde unter dem Tarnnamen Ultra ein Strom wertvoller Informationen produziert. In Bletchley Park arbeiteten etwa 9000 Menschen, darunter viele Frauen.

COLOSSUS

Die Kryptologen hatten keine Computer, weil es noch keine gab, und mussten die abgefangenen Funksprüche mit Papier und Bleistift durcharbeiten. Schließlich wurden geeignete Entschlüsselungsmaschinen entwickelt. In Großbritannien kam Colossus zum Einsatz. Obwohl er viel weniger leistete als ein heutiger PC, füllte er einen ganzen Raum aus.

Gezielte Ausspähung
Das Flugzeug des Chefs der japanischen Kriegsmarine, Admiral Yamamoto, wurde 1943 von amerikanischen Langstreckenjägern abgeschossen. Der Admiral und die Besatzung starben, weil die Code-Experten (Kryptologen) der US-Marine in den japanischen Marinecode eingebrochen waren und daher genau wussten, wann Yamamoto wo zu treffen war.

Eingeschworene Mannschaften
Bomberbesatzungen bestanden aus sieben bis zehn Mann mit unterschiedlichen Aufgaben – Pilot, Navigator, Kanoniere, Bombenschützen. Da alle aufeinander angewiesen waren, entwickelte sich gruppenintern ein starker Zusammenhalt. Bei jedem Einsatz war die Besatzung in Lebensgefahr.

BOMBEN AUF DEUTSCHLAND

SEIT 1940 BOMBARDIERTEN die Briten deutsche Städte. Zusammen mit den Amerikanern flogen sie ab Mai 1942 Bombenangriffe in Massengeschwadern auf Deutschland. Die Royal Air Force griff nachts an, während die US-Flieger am Tag bombardierten. Beim Angriff auf Köln wurden in 90 Minuten rund 500 Menschen getötet und 3300 Gebäude zerstört.

Mehr als 35 000 Fliegersoldaten der amerikanischen und 55 000 der britischen Luftwaffe kamen im Bombenkrieg gegen Deutschland ums Leben.

Fliegende Festung
Die B-17 „Fliegende Festung" von Boeing war zur Kriegszeit der wirkungsvollste amerikanische Bomber. Die Feuerkraft der Maschine war so groß, dass das gesamte deutsche Jagdgeschwader hätte vernichtet werden können, es gab aber zu viele einzelne schnelle Jäger. Die B-17 konnten große Bombenmengen auf genau definierte Ziele abwerfen.

„Kugelturmschütze"
Der unangenehmste Gefechtsstand in einer B-17 war der Geschützturm. Der Schütze lag auf dem Rücken in einem kleinen Drehturm unter dem Rumpf und schoss mit zwei Maschinengewehren durch seine Beine. In großer Höhe fror er erbärmlich. Wegen der Enge konnte er keinen Fallschirm tragen und sich daher bei einem Absturz nicht retten.

Nachtangriff

Die britische Luftwaffe flog Nachtangriffe auf Deutschland, weil ihre Bomber am Tag zu viele Verluste hatten. Zielgenaues Bombardieren bei Nacht war äußerst schwierig, daher warfen die britischen Flieger Bombenteppiche auf bestimmte Stadtgebiete.

Bombardierung von Talsperren

Das berühmteste Unternehmen der britischen Bomber war der Nachtangriff vom 16. auf den 17. Mai 1943 auf verschiedene Talsperren im heutigen Nordrhein-Westfalen und Hessen. Dadurch sollten Industriezentren überflutet werden. Durch die Treffer auf die Staumauern des Möhnesees und Edersees starben etwa 1300 Menschen, die meisten in einem nahe der Möhnesee-Mauer gelegenen Kriegsgefangenenlager. Die Deutschen bauten die Mauern innerhalb kurzer Zeit wieder auf.

Tausend-Bomber-Angriffe

Einige deutsche Städte wurden bei den Nachtangriffen durch die Masse der abgeworfenen Bomben fast vollkommen ausgelöscht. An jedem Angriff konnten bis zu tausend Bomber beteiligt sein. Die Bombardierung des Hamburger Hafens im Sommer 1943 löste einen Feuersturm aus, der einen großen Teil der Stadt zerstörte. Mehr als 30 000 Menschen, zumeist Zivilisten, starben dabei.

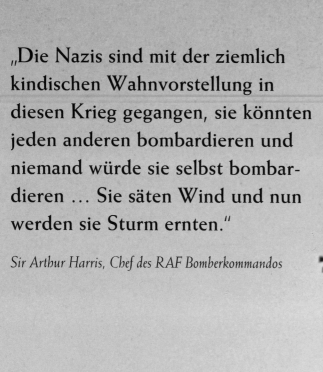

„Die Nazis sind mit der ziemlich kindischen Wahnvorstellung in diesen Krieg gegangen, sie könnten jeden anderen bombardieren und niemand würde sie selbst bombardieren … Sie säten Wind und nun werden sie Sturm ernten."

Sir Arthur Harris, Chef des RAF Bomberkommandos

Die Besatzung eines Bombers der Royal Air Force neben ihrer Maschine im November 1941 auf einem Fliegerhorst im englischen Lincolnshire

KRIEGSALLTAG IN DEUTSCHLAND

DIE NORMALITÄT DES ALLTAGS sollte garantiert werden. Zwar gab es Verknappungen, aber im Großen und Ganzen war die Versorgungslage nicht schlecht. Film und Theater lenkten mit seichten Stücken vom Kriegsalltag ab und ließen die Sorgen um die Soldaten, um Ehemänner, Väter und Söhne für kurze Zeit verblassen. Mit Aufmärschen, Paraden, Feiern und Gedenktagen versuchte das Regime, die Menschen für seine Ziele einzuspannen. Erst in den Bombennächten schwand allmählich das Vertrauen in den Nationalsozialismus.

Rummel im Krieg

Eine gut besuchte Kirmes in Berlin-Treptow vermittelt noch 1942 ein Gefühl von Normalität und Sicherheit. Filme, Musik- und Sportveranstaltungen sollten die Menschen aufmuntern. Heinz Rühmann wird zum umjubelten Schauspieler, und der Rundfunk setzt auf Unterhaltungsmusik. Betriebe oder NS-Einrichtungen organisieren „bunte Abende" der Geselligkeit.

Konsum

Das Leben mit Bezugsscheinen wie der „Reichs-kleiderkarte" und Lebensmittelmarken brachte gewisse Einschränkungen, die aber zunächst fast ohne Murren hingenommen wurden. Im Gegenteil: Verzicht wurde oft als Opfer für die große Sache angesehen. Außerdem war die Mehrheit der Deutschen davon überzeugt, dass der Krieg nicht lange dauern würde. In der Auslage eines Schuh-geschäfts werden im Herbst 1941 Schuhe aus Stroh begutachtet. Sie sind ohne Bezugsscheine zu haben.

Frauen in der Rüstungsindustrie

Nach der NS-Ideologie war der deutschen Frau eigentlich die Rolle der „kinderreichen Mutter" zugedacht. In Kriegs-zeiten war aber auch die Arbeitskraft von Frauen äußerst begehrt – auch in der Rüstungsindustrie. Verweigerten Frauen die dortige Arbeit, drohte ihnen die Deportation in ein Konzentrationslager.

Der Feind sieht Dein Licht!

Verdunkeln!

Im Luftschutzkeller

Einwohner Berlins während eines Luftangriffs als Notgemeinschaft in einem öffentlichen Luftschutzbunker. Als seit 1942 immer mehr Großangriffe auf deutsche Städte geflogen wurden, gehörten die bangen Stunden im Luftschutzkeller bald zum Alltag. Aber die Zermürbungstaktik war kaum erfolgreich. Die Durchhaltemoral der Stadtbevölkerung hielt der Luftoffensive erstaunlich lange stand.

Luftschutz

Je länger der Krieg dauerte, umso mehr bestimmten die Bombenangriffe der Alliierten den Alltag. Auf Propaganda-Plakaten wurde zur Verdunklung aufgerufen. Ein Luftschutzwart hatte für die Einhaltung der „Luftschutzpflichten" und vor allem für die Verdunklung zu sorgen. Er bestimmte die für die Hausfeuerwehr geeigneten Personen, teilte die Brandwachen ein und gab Verhaltensregeln bei Fliegeralarm.

Totale Zerstörung

Hamburg war wiederholt das Ziel alliierter Luftangriffe. Bei zwei Großangriffen starben im Sommer 1943 über 30 000 Menschen. Während die Briten v. a. Nachtangriffe flogen, griffen die amerikanischen Bomberverbände auch bei Tageslicht an. An ein geregeltes Leben war nun nicht mehr zu denken. In Deutschland wurden mehr als 600 000 Menschen, überwiegend Frauen und Kinder, Opfer der Luftangriffe.

Bomben auf Dresden

Bis Februar 1945 war Dresden nahezu unversehrt geblieben. Die Front rückte näher. Die Stadt war voller Menschen auf der Flucht vor der Roten Armee. Am 13. und 14. Februar warfen britische und amerikanische Verbände rund 3500 Tonnen Brandbomben, Sprengbomben und Minen auf die Stadt. 15 km² wurden total zerstört. Unter den 35 000 Dresdener Toten waren viele Flüchtlinge.

STIMMEN VON JUGENDLICHEN

HERBST 1943:

„IN DER SCHULE sind nur noch alte Lehrer: Der letzte junge wird auch eingezogen und fällt. Aber beschäftigt sind wir trotzdem: Donnerstag: Kräutersammeln. Im Winter: Kohleferien; Sockenstricken für Rußland. Im Sommer; Kriegseinsatz."

KRIEGSENDE IN DER NÄHE VON FREIBURG, 21. APRIL 1945:

„‚DAS DORF WIRD bis zum letzten verteidigt', verkündet der Offizier. Als ich einwende, der Krieg sei doch zu ende, droht er mit Standrecht. Dann verschwindet er im Wirtshaus. Als er wieder herauskommt, trägt er Zivil und verkündet seiner Truppe, er sei Kartoffelhändler, sie sollen verschwinden. [...] ‚Jedes Haus wird verteidigt', schreit Göbbels [Goebbels] im Radio. Der Nachbar will mit seiner Frau auf Panzer schießen. Am Weiher vor unserem Hof wird er gefangen. [...] Nun sind die Franzosen da – Marokkaner, Senegalneger, Spanier, Rif-Kabylen, alles Franzosen. Ein Kabyle bietet ein Abendkleid für einen Kuß. Hühner werden mit Maschinenpistolen vom Mist geschossen."

Auszüge aus dem Tagebuch der 1943
15-jährigen Gretel Bechtold aus Freiburg

„DIE SIRENEN HEULEN ALARM, als ich eben mit den neuen Lebensmittelkarten aus der Lindenschule trete. Wie ein Blitz rase ich mit meinem Rad die bereits leergefegten Straßen entlang, [...], aber wie ich in die Kehrewaldstraße einbiege, fängt schon die Flak zu ballern an. Keuchend erreiche ich den Stolleneingang, jemand lässt mich noch ein; als ich zu Mama stoße, die inmitten der Nachbarn auf unserer Kiste sitzt, sagt sie nur: ‚Gottlob, du bist da!'

Alles ist still, die Nerven zum zerreißen gespannt. Draußen ist die Hölle los. Höchste Gefahr. Da schwankt das Licht, man spürt eine Druckwelle. Erschütterung und ... Volltreffer! Eine Mine – direkt auf den Stollen. Können wir es glauben? Hat er gehalten? Wir leben! Niemand ist verletzt! Und es hat keine Panik gegeben!"

Die 13-jährige Erika Z. erlebt im November 1944
einen Bombenangriff in Untertürkheim.

29. SEPTEMBER 1942:

LIEBE FAMILIE HEINEMANN!

Erst jetzt haben wir wieder Gelegenheit, Ihnen ein Lebenszeichen von uns zukommen zu lassen. Ich hatte von Lezno 109, als wir dort noch in der Quarantäne wohnten, oft an Wolfgang geschrieben. Habe aber nur einmal Antwort bekommen. Ich hoffe aber, daß Sie uns diesmal nicht ohne Antwort lassen werden, da man sich über jede Zeile aus der Heimat freut. […] Was macht eigentlich das Fußballspielen. Ich bin jetzt froh, wenn ich Schritt gehen kann. Ob ich mal wieder auf der Kiewiese mit Euch Leder nachjagen werde? Wer weiß. […] In der Hoffnung, dass Ihr uns mal ausführlich und bald antworten werdet, verbleibe ich

Euer oft an Euch denkender Rolf"

Brief des ins Warschauer Ghetto deportierten
16-jährigen Rudolf Löwenstern an deutsche Freunde

12. AUGUST 1940:

„Schon die ganze Kriegszeit lerne ich allein zu Haus. Wenn ich daran denke, wie ich zur Schule gegangen bin, dann möchte ich direkt weinen, und heute muß ich zu Hause sein und kann nirgendwo hingehen. Und wenn ich so bedenke, welche Kriege vor sich gehen in der Welt, wie viele Menschen täglich fallen, durch Kugeln, durch Gas, durch Bomben, durch Epidemien und andere Feinde der Menschen, dann habe ich zu nichts Lust."

1. SEPTEMBER 1940:

„Heute ist der erste Jahrestag des Kriegsausbruchs. Ich erinnere mich, was wir in der kurzen Zeit schon durchgemacht haben, wie viel Leiden wir schon erlebt haben. Vor dem Kriege hatte jeder seine Beschäftigung, fast niemand war ohne Arbeit. Aber bei den heutigen Kriegen, da sind 90 Prozent arbeitslos und nur 10 Prozent haben Beschäftigung. Wie wir, wir hatten eine Molkerei und heute sind wir ganz arbeitslos. Nur noch ein paar Vorräte aus der Zeit vor dem Krieg sind da, davon nimmt man noch, aber sie gehen doch schon zu Ende, und dann wissen wir nicht mehr, was wir machen werden."

Tagebuchaufzeichnungen des 12-jährigen
Dawid Rubinowicz

EUROPA UNTER NS-HERRSCHAFT

WÄHREND DES KRIEGS war der größte Teil Kontinentaleuropas zumindest vorübergehend in der Gewalt Deutschlands. Diese Völker wurden rücksichtslos ausgebeutet. Die Deutschen bezogen Nahrungsmittel und andere Güter aus den besiegten Ländern und zogen ihre Einwohner zu Hunderttausenden zur Arbeit in Deutschland heran. SS und Gestapo dehnten ihre brutalen Aktivitäten über den ganzen Kontinent aus.

Alltagsnormalität

In den besetzten Ländern rechneten viele mit einem deutschen Sieg. Die Menschen fanden zum Alltagsleben zurück, was oft Kollaboration, also eine Zusammenarbeit mit den Deutschen, bedeutete. Die Franzosen gewöhnten sich an deutsche Offiziere, die in ihrer Freizeit die Straßencafés bevölkerten.

Zwangsarbeit

Die Deutschen zwangen Millionen Menschen in den besetzten Ländern zur Arbeit für ihre Kriegsproduktion. Viele wurden ins Reich verschleppt. Sie arbeiteten neben Kriegsgefangenen und KZ-Insassen. Die ausländischen Zwangsarbeiter stellten 20 % der Arbeitskräfte. Viele starben aufgrund schlechter Behandlung oder infolge alliierter Bombenangriffe, denn sie durften nicht in Bunkern Schutz suchen.

Aktive Kollaboration

Viele französische Sympathisanten der Nazis kämpften in der Uniform der Wehrmacht (siehe Foto). Zum Teil sympathisierten ganze Volksgruppen mit der Politik Hitlers. In Jugoslawien errichteten kroatische Nationalisten einen eigenen Staat und verfolgten ihre serbischen Nachbarn grausam.

Von den Deutschen besetztes Europa 1942

- ◼ Deutsches Reich und besetzte Gebiete
- ◼ Deutsche Verbündete oder von diesen besetzt
- ◼ Alliierte
- ◻ Neutral

Von den Deutschen besetztes Europa, 1942

Abgesehen von Großbritannien und Teilen der Sowjetunion war Mitte 1942 ganz Europa von Deutschland und dessen Bundesgenossen beherrscht, bis auf Teile, die sich neutral verhielten, also keine der Kriegsparteien unterstützten. Deutschlands Verbündete – Italien, Rumänien, Bulgarien – wechselten im Lauf des Kriegs die Seiten.

ISLAND
FARÖER
NORWEGEN
SCHWEDEN
FINNLAND
SOWJET-UNION
DÄNEMARK
IRLAND
GROSS-BRITANNIEN
NIEDERLANDE
BELGIEN
DEUTSCHES REICH
PROTEKTORAT BÖHMEN UND MÄHREN
BESETZTES FRANKREICH
SLOWAKEI
SCHWEIZ
UNGARN
VICHY-FRANKREICH
KROATIEN
RUMÄNIEN
SERBIEN
PORTUGAL
SPANIEN
KORSIKA
ITALIEN
MONTENEGRO
BULGARIEN
ALBANIEN
BALEAREN
SARDINIEN
GRIECHENLAND
TÜRKEI
SIZILIEN
MALTA
KRETA
ZYPERN

0 km 500 1000 1500

NS-Präsenz auf den Kanalinseln

Die Kanalinseln, Eigentum der britischen Krone, waren die einzigen von den Deutschen besetzten Gebiete, in denen Briten wohnten. Die Insulaner litten unter Nahrungsmittelmangel und wurden als Zwangsarbeiter deportiert. Doch die örtlichen Behörden blieben unbehelligt.

Grausame Nazi-Herrschaft

Die SS übte im besetzten Europa dieselbe absolute Macht wie im Reich aus. Die Menschen wurden oft nachts verhaftet, von der Gestapo gefoltert, in Konzentrationslager geschafft oder auf der Stelle erschossen.

Kälte und Hunger

Die Deutschen bezogen Nahrungsmittel und Brennstoffe für die eigene Bevölkerung aus den besetzten Ländern. Dort kam es daher oft zu schlimmen Verknappungen. Die Franzosen bekamen nur ein Drittel der deutschen Fleischrationen. In Osteuropa verhungerten und erfroren Hunderttausende.

Kinderraub

Die Nationalsozialisten waren Rassisten, die die Angehörigen der unterworfenen Völker nach ihrem Aussehen einschätzten. Blonde, blauäugige Norweger und Holländer wurden z.B. höher geschätzt als Slawen. So wurden etwa 200 000 blonde, blauäugige polnische Kinder ihren Eltern weggenommen und als „germanisierungsfähig" im Reich aufgezogen. Die meisten sahen ihre Eltern nie wieder.

DER HOLOCAUST

VON DEN GRUPPEN, die durch die Nazis
verfolgt wurden und zu denen auch Sozial-
demokraten und Kommunisten, Homosexu-
elle, Sinti/Roma u.v.m. gehörten, erlitten
die Juden das schlimmste Schicksal. Innerhalb des deutschen Vernichtungskriegs ließ
man die jüdische Bevölkerung zunächst
verelenden, um sie dann auszurotten. Juden
aus ganz Europa wurden in Vernichtungslager im besetzten Polen verschleppt. Die
Zahl der ermordeten Juden wird auf etwa
6 Mio. geschätzt. Heute bezeichnet man
diese Vorgänge als Holocaust.

Vernichtungslager
Soldaten der deutschen „Einsatzgruppen" erschossen ihre Opfer
zunächst vor offenen Massengräbern. Dies war ihren Befehlshabern
aber nicht effizient genug. Seit 1942 wurden daher im besetzten
Polen Lager zur Tötung großer Mengen von Menschen gebaut.
Wenn die Juden dort in überfüllten Güterwaggons ankamen, trieben
deutsche Wachmannschaften sie in Gaskammern und erstickten sie.
Nur wenige Juden überlebten die Vernichtungslager.

Erziehung zum Hass
Mit einem gewaltigen
Propagandaapparat hämmerten
die Nazis den Deutschen ein,
die Juden seien für den Krieg
verantwortlich. Dieses Plakat
soll einen Juden als die böse
Macht hinter den Alliierten,
symbolisiert durch deren
Landesflaggen, zeigen.

Sklavenarbeit
In Deutschland fehlten Arbeitskräfte, daher wurden Juden zu
Tausenden in den Rüstungs-
betrieben als Zwangsarbeiter
eingesetzt. So grässlich die
Arbeit war, sie bewahrte sie
vorerst vor dem Tod. Sobald
sie zu schwach zum Arbeiten
wurden, brachte man sie um.

Kinder in Auschwitz
Auschwitz war ein Vernichtungs- und Arbeitslager.
Es lag im von den Deutschen besetzten Teil Polens.
Die arbeitsfähigen Juden wurden zur Sklavenarbeit
eingesetzt, z. B. in Industrie und Bergbau, die anderen
schickte man direkt nach ihrer Ankunft ins Gas. Fast
alle nach Auschwitz deportierten jüdischen Kinder
wurden sofort ermordet. An einigen nahm man grausame
medizinische Versuche vor. Die größte Gruppe der
überlebenden jüdischen Kinder waren jene der aus Weißrussland und aus Warschau 1944 deportierten Familien.

ANNE FRANK

Manche Juden versuchten, sich zu verstecken. Zu diesen gehörte die deutsche Familie Anne Franks, die aus Frankfurt am Main nach Amsterdam geflüchtet war. Die Niederlande wurden 1940 von deutschen Truppen besetzt. Als die Judenverfolgung begann, verbarg die Familie Frank sich in Zimmern mit einem durch einen Bücherschrank verdeckten Zugang. Nach zwei Jahren wurden sie dort aufgespürt und nach Auschwitz deportiert. Von dort kamen Anne und ihre Schwester Margot in das Lager Bergen-Belsen, wo beide ums Leben kamen. Anne Franks Tagebuch gilt als eines der bewegendsten Zeugnisse aus der Zeit des Holocaust.

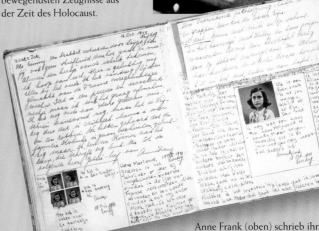

Anne Frank (oben) schrieb ihr Tagebuch im Versteck.

Aufstand im Warschauer Ghetto

Die meisten Juden standen ihren Feinden hilflos gegenüber, doch leisteten sie Widerstand, wo es möglich war. 1943 kam es zu einem bewaffneten Aufstand der Juden im Warschauer Ghetto. Die Erhebung wurde von der SS niedergeschlagen. Bei den Kämpfen, späteren Erschießungen durch die Deutschen und durch Deportationen in die Vernichtungslager kamen 50 000 Juden ums Leben.

STIMMEN ZUM HOLOCAUST

Millionen Juden wurden von den Nazis in Lager abtransportiert, wo sie entweder sofort nach ihrer Ankunft umgebracht oder als Zwangsarbeiter rücksichtslos ausgebeutet wurden. Es überlebten nur wenige Opfer und konnten über ihre Leiden berichten. Auch von den Tätern gibt es Zeugnisse über die von ihnen begangenen Grausamkeiten.

„WENN DIE TRANSPORTE an der Bahnrampe ankamen, sonderten SS-Offiziere unter den neu Angekommenen die Arbeitsfähigen aus, während die übrigen auf Lastwagen verladen und zu den Gaskammern gefahren wurden. Denen folgte ich gewöhnlich, bis wir den Bunker erreichten. Dort wurden die Menschen zunächst in die Baracken getrieben, wo die Opfer sich auszogen und dann nackt zur Gaskammer gingen ... Nachdem sie alle in die Gaskammer getrieben waren, wurde die Tür geschlossen und ein SS-Mann mit Gasmaske warf durch eine Öffnung in der Seitenwand eine Büchse Zyklon hinein. Durch diese Öffnung war das Schreien und Kreischen der Opfer zu hören, und es war klar, dass sie um ihr Leben kämpften. Die Schreie waren nur ganz kurze Zeit zu hören ..."

Dr. Johann Kremer, zeitweilig als SS-Arzt im Konzentrationslager Auschwitz, war am 2. September 1942 Zeuge dieser Vergasungen; Auszug seiner Aussage im Nachkriegs-Strafverfahren.

„DER ZUG FUHR langsam, mit langen, zermürbenden Aufenthalten. Durch den Schlitz sahen wir die blassen Felshänge des Etschtals und die letzten italienischen Städte hinter uns verschwinden ... Von den 45 Menschen in unserem Waggon sahen nur vier ihre Heimat wieder. Wir litten unter Durst und Kälte, bei jedem Halt schrien wir nach Wasser; die eskortierenden Soldaten vertrieben jeden, der sich dem Transport zu nähern versuchte. Zwei junge Mütter, die ihre Kinder stillten, ächzten und stöhnten Tag und Nacht und baten um Wasser. Unsere nervliche Anspannung ließ uns Hunger, Erschöpfung und Schlafmangel weniger quälend erscheinen. Doch die Stunden der Dunkelheit waren nicht enden wollende Albträume."

Primo Levi, italienischer Überlebender des Holocaust und später ein berühmter Schriftsteller, beschreibt seinen Transport im Güterwagen von einem italienischen Lager nach Auschwitz im Jahr 1944.

„ **D**IE BEDINGUNGEN, UNTER denen diese Menschen [die jüdischen Opfer] leben, sind entsetzlich. Man muss ihre Gesichter, ihren langsamen, torkelnden Gang und ihre schwachen Bewegungen sehen. Ihr Gemütszustand steht ihnen ins Gesicht geschrieben und ihre Leiber sind zu Skeletten abgemagert. Tatsächlich waren sie alle einmal normale Menschen, geistig gesund und nicht gewillt, den Nazis zu schaden. Es sind Juden, die nun bei einer Tagesrate von 300 Kalorien dahinsterben. Sie sind todgeweiht, und nichts kann sie mehr retten – ihr Ende ist unausweichlich. Ich sah ihre Leichen neben ihren Baracken liegen, denn sie kriechen oder wanken zum Sterben ins Sonnenlicht hinaus. Ich beobachtete sie bei ihrem letzten, kraftlosen Gang, und während ich hinsah, starben sie."

Peter Coombs, ein britischer Soldat, schrieb dies am
4. Mai 1945 seiner Frau nach seiner Teilnahme an
der Befreiung des Lagers in Bergen-Belsen.

„Die Juden sind die ewigen Feinde des
deutschen Volkes und müssen ausgerottet
werden. Alle für uns erreichbaren Juden
sind jetzt während des Krieges ohne
Ausnahme zu vernichten."

*Reichsführer SS Heinrich Himmler gegenüber dem Lager-
kommandanten von Auschwitz Rudolf Höss im Sommer 1941
(laut dessen später veröffentlichten Tagebuchaufzeichnungen)*

WIDERSTANDS-BEWEGUNGEN

IN DEN MEISTEN besetzten Ländern bildeten sich Widerstandsbewegungen zur Bekämpfung der deutschen Besatzungsmacht. Deren Tätigkeiten reichten von Nachrichtenbeschaffung und Sabotage bis hin zum regelrechten Partisanenkrieg. Britische und amerikanische Agenten nahmen mit ihnen Verbindung auf. Widerstandskämpfer, die von den Deutschen gefasst wurden, wurden von diesen gefoltert, ihnen standen Deportation und Ermordung bevor. Doch trugen sie zum alliierten Sieg bei und halfen in den durch Niederlage und Besatzung gedemütigten Ländern, den Nationalstolz neu zu beleben.

Absprung ins besetzte Europa
Großbritannien wie Amerika schickten Agenten ins besetzte Europa. Sie wurden nachts eingeflogen, oft mit Maschinen vom Typ Lysander. Gewöhnlich landete der Sprung auf einem Acker, wo Mitglieder der Widerstandsgruppen sie bereits erwarteten.

Herausragende Agentin
In der französischen Résistance und als alliierte Agenten waren viele Frauen tätig. Die Amerikanerin Virginia Hall war im besetzten Frankreich eingesetzt. Für ihre Mithilfe bei der Unterstützung der französischen Résistance wurde sie ausgezeichnet.

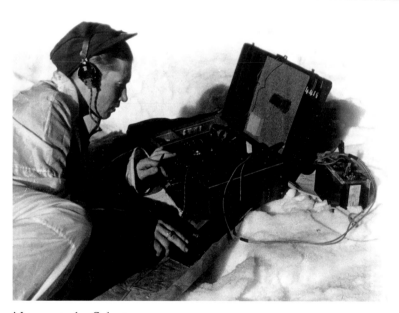

Norwegische Saboteure
Zu den bedeutendsten Widerstandsaktionen zählt die Zerstörung einer Fabrik im von deutschen Truppen besetzten Norwegen durch Partisanen. Die Anlage produzierte „schweres Wasser", das Deutschland zum Bau einer Atombombe gebraucht hätte.

KOMMUNISTISCHE PARTISANEN

In vielen Widerstandsbewegungen spielten Kommunisten eine führende Rolle. Im deutsch besetzten Jugoslawien führte eine Gruppe unter Josip Broz, genannt Tito, einen regelrechten Partisanenkrieg, der einen großen Teil der deutschen Truppen band. Titos Leute kämpften aber auch gegen die Widerstandsbewegung der königstreuen Tschetniks, die zum Teil mit den Besatzern zusammenarbeiteten. Nach dem Krieg übernahm Tito die Herrschaft in Jugoslawien.

Die französische Résistance
Bis 1944 hatte der französische Widerstand sich zu einer mächtigen Bewegung entwickelt, der sich viele junge Leute anschlossen. Im Maquis, dem Buschwald Südfrankreichs, führten sie mit leichten Waffen, etwa britischen Sten-Maschinenpistolen, einen Partisanenkrieg gegen die Deutschen und nannten sich „Maquisards".

1944 halfen 116 000 bewaffnete Untergrundkämpfer der Résistance bei der Befreiung Frankreichs mit.

Deutsche Repressalien
Auf Partisanentätigkeit reagierten die Deutschen mit brutalen Maßnahmen gegen die Zivilbevölkerung. Als 1942 der SS-Obergruppenführer Reinhard Heydrich von tschechischen Widerstandskämpfern getötet wurde, erschoss man alle Männer des Dorfes Lidice bei Prag. Die Gestapo deportierte die Frauen ins KZ und schaffte die Kinder fort. Von den 105 Kindern des Dorfes überlebten nur 17 den Krieg.

Held des Widerstands
Jean Moulin war der berühmteste Führer der französischen Résistance. Er verband die vielen Widerstandsgruppen zu einer einzigen Bewegung. Im Sommer 1943 wurde er verhaftet und gefoltert, starb jedoch, ohne ein Geheimnis preisgegeben zu haben.

Aushungern und vergasen

NS-Deutschland beachtete keinerlei humanitäre Regeln. Die Bedingungen in der Gefangenschaft waren schrecklich: Viele verhungerten, erfroren oder starben ohne medizinische Versorgung an Krankheiten. Die Deutschen brachten sowjetische Kriegsgefangene durch Arbeit um. Tausende starben durch Vergasung in Lagern wie Auschwitz. Von den deutschen Kriegsgefangenen in der Sowjetunion starben ebenfalls viele durch Unterernährung, Erfrieren und Krankheiten.

Alliierte Kriegsgefangene

Im Großen und Ganzen wurden britische und amerikanische Kriegsgefangene von Deutschen und Italienern gemäß der Genfer Konvention behandelt. Das Leben hinter Stacheldraht gestaltete sich für die Gefangenen nicht einfach. Zumindest waren die Annahme von Rotkreuzpaketen und die Korrespondenz mit der Heimat gestattet. Die interne Befehlsgewalt der gefangenen Offiziere blieb gewöhnlich gewahrt.

KRIEGS-
GEFANGENE
IN EUROPA

IM LAUF DES KRIEGS gerieten Millionen Soldaten aus vielen Ländern in Gefangenschaft. Man ging sehr unterschiedlich mit ihnen um. Von den rund 5,7 Mio. sowjetischen Soldaten in deutscher Gefangenschaft starben 3,3 Mio. Von den 3,1 Mio. Deutschen in sowjetischer Gefangenschaft kamen rund 1,1 Mio. um. Im Unterschied dazu entsprach die Behandlung der meisten Briten und Amerikaner in deutschen Lagern und der deutschen und italienischen Kriegsgefangenen in Großbritannien und Nordamerika den internationalen Konventionen. Die meisten von ihnen überlebten die Gefangenschaft.

Colditz

Das berüchtigte Gefangenenlager Schloss Colditz war eine Hochsicherheitseinrichtung zur Unterbringung von Gefangenen, die zu fliehen versucht hatten. Trotz erhöhter Sicherheit gelang manchen Gefangenen auch aus Colditz die Flucht.

Ausbrüche

Viele alliierte Gefangene versuchten zu fliehen. Selbst wenn ihnen dies gelang, war es schwierig für sie, ein neutrales Land zu erreichen. Im März 1944 entwichen 76 alliierte Gefangene aus dem Stammlager (Stalag) Luft III bei Sagan in Schlesien. Bis auf drei wurden alle wieder eingefangen. 50 wurden von der Gestapo ermordet.

Nach den europäischen Juden sind die sowjetischen Kriegsgefangenen die zweitgrößte Opfergruppe des Zweiten Weltkriegs.

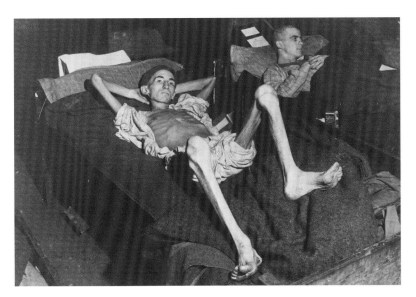

Verschlechterte Bedingungen

Die Lage der Kriegsgefangenen in Deutschland verschlechterte sich im letzten Kriegsjahr. Lebensmittel wurden knapp und die Wachen behandelten die Gefangenen brutaler. Immer wieder fielen auch Kriegsgefangene alliierten Bombenangriffen zum Opfer. Bei Kriegsende waren viele Gefangene in einer sehr schlechten Verfassung.

Gefangenenkapelle

Meist wurden Kriegsgefangene der Achsenmächte in Großbritannien und den USA recht gut behandelt. In Amerika beklagte sich manch einer sogar, die gefangenen Deutschen lebten besser als viele amerikanische Bürger. Eines der Erinnerungsstücke an die große Zahl italienischer Kriegsgefangener in Grobritannien ist diese von Gefangenen erbaute und ausgeschmückte Kapelle auf einer der schottischen Orkney-Inseln.

DIE ALLIIERTEN

ENTSCHEIDEND FÜR DIE alliierten Kriegsanstrengungen war, dass die drei wichtigsten Verbündeten – die USA, Großbritannien und die Sowjetunion – gut und eng miteinander zusammenarbeiteten. Drei verschiedene Länder, geführt von mächtigen Politikern höchst unterschiedlicher Art: Roosevelt, Churchill und Stalin. Deren Ziele und Absichten deckten sich nicht, aber sie vermochten die Allianz zusammenzuhalten.

Winston Churchill

Obwohl dem Parlament verantwortlich, lenkte der britische Premierminister Churchill die Kriegsanstrengungen seines Landes praktisch allein. Trotz seines Alters – 1944 war er bereits 70 Jahre alt – arbeitete er schwer und blieb bei den Briten auch in Zeiten eines unbefriedigenden Kriegsverlaufs populär.

Franklin D. Roosevelt

Berühmt durch die Bekämpfung der Wirtschaftskrise in den 1930er-Jahren, war Roosevelt bereits neun Jahre Präsident, als Amerika in den Krieg eintrat. Als einziger amerikanischer Präsident wurde er öfter als einmal wiedergewählt. 1944 gewann er die Präsidentschaftswahlen zum vierten Mal.

Josef Stalin

Der sowjetische Diktator Stalin war für den Tod von Millionen seiner Landsleute verantwortlich. Argwöhnisch und skrupellos, traute er Großbritannien und den USA nicht. Doch sah er im Bündnis mit den Westmächten einen Vorteil für sich und hielt mit seinen Verbündeten getroffene Abmachungen zumeist ein.

Polen – ein Problem

Die Zukunft Polens stellte die Alliierten vor ein großes Problem. Obwohl polnische Soldaten einen erheblichen Beitrag zu den britischen Kriegsanstrengungen geleistet hatten, nahmen Churchill und Roosevelt es im Interesse eines guten Einvernehmens mit Stalin hin, dass die Sowjetunion den 1939 besetzten Teil Polens behielt. Die polnischen Soldaten, die auf Seiten der Alliierten in Italien gekämpft hatten, sahen sich dadurch verraten.

Bei Kriegsende gehörten dem Bündnis gegen Deutschland und Japan 51 Länder an.

Führer des Freien Frankreich

Andere Bündnismitglieder hatten auf die „Großen Drei" wenig Einfluss. General de Gaulle musste sogar darum kämpfen, als Führer des Freien Frankreich anerkannt zu werden. Doch schließlich setzte de Gaulle durch, dass man Frankreich als eine der größeren alliierten Mächte akzeptierte.

Treffen in Afrika

Trotz der kriegsbedingten Gefahren trafen sich die Führer der Allianz von Zeit zu Zeit persönlich. 1943 überquerte Roosevelt in einem Flugboot den Atlantik, um mit Churchill in Casablanca (Französisch-Marokko) zu konferieren. Dort einigten sie sich auf den Grundsatz der „bedingungslosen Kapitulation" – keine Friedensverhandlungen. Der Feind hatte sich zu ergeben.

Gipfel in Teheran

Im persischen Teheran kamen die „Großen Drei" 1943 erstmals zusammen. Dazu hatte Stalin, seit 1917 zum ersten Mal, die Sowjetunion verlassen. Dem hochzufriedenen sowjetischen Führer wurden fast alle Forderungen erfüllt.

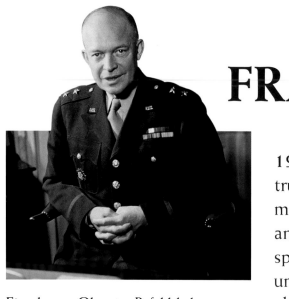

DIE INVASION FRANKREICHS WIRD VORBEREITET

1942 ÜBERQUERTE EINE alliierte Landungstruppe den Ärmelkanal, um den von der Wehrmacht gehaltenen französischen Hafen Dieppe anzugreifen. Der Versuch erwies sich als kostspieliger Fehlschlag: Tausende Angreifer kamen um oder gerieten in Gefangenschaft. Es war also äußerst schwierig, eine große Invasionsstreitmacht im von den Deutschen besetzten Frankreich anzulanden. Erst 1944 fühlten sich Briten und Amerikaner stark genug, eine Invasion in der Normandie vorzubereiten.

Eisenhower Oberster Befehlshaber

Der amerikanische General Eisenhower wurde zum Obersten Befehlshaber der Invasion in der Normandie ernannt. Er hatte Truppen vieler Nationen unter sich. Eisenhower war ein energischer, aber diplomatischer Mensch, der es verstand, alle auf das gemeinsame Ziel zu verpflichten.

Bereitstellung vor der Invasion

Eine unglaubliche Anzahl alliierter Soldaten mit all ihrem Kriegsgerät machten den Süden Englands zu einem waffenstarrenden Heerlager. Unter ihnen waren 1,5 Mio. Amerikaner. Die Soldaten probten die Invasion in großangelegten Manövern unter Einsatz von Fallschirmjägern und Landungsbooten an den britischen Stränden.

Aufblasbare Panzerattrappen

Obwohl die Normandie für die Landung vorgesehen war, sollten die Deutschen glauben, sie wäre viel weiter ostwärts, bei Calais, beabsichtigt. Riesige Mengen aufblasbarer Attrappen von Panzern und Landungsbooten wurden an der englischen Küste gegenüber Calais aufgebaut, wo sie den deutschen Aufklärern auffallen mussten. Die Deutschen fielen auf die Täuschung herein. Selbst nach Beginn der Anlandungen hielt Hitler im Glauben, Schwerpunkt der Operation würde Calais sein, dort noch Truppen zurück.

Pluto und Mulberry

Alliierte Wissenschaftler und Techniker entwickelten für die Invasion Erstaunliches, u. a. Pluto, eine Unterwasserrohrleitung, um Treibstoff durch den Kanal zu pumpen. Eine andere war Mulberry, ein zunächst schwimmender Hafen, der über den Kanal geschleppt und vor der normannischen Küste auf Grund gesetzt wurde.

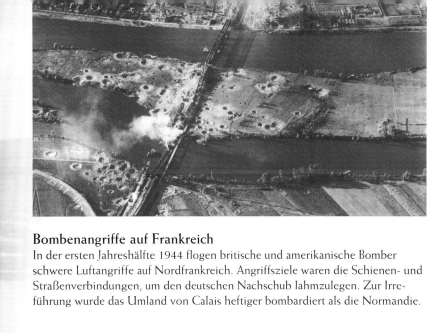

Bombenangriffe auf Frankreich

In der ersten Jahreshälfte 1944 flogen britische und amerikanische Bomber schwere Luftangriffe auf Nordfrankreich. Angriffsziele waren die Schienen- und Straßenverbindungen, um den deutschen Nachschub lahmzulegen. Zur Irreführung wurde das Umland von Calais heftiger bombardiert als die Normandie.

Landungsfahrzeuge

Mehr als 4000 Landungsfahrzeuge wurden zusammengezogen, um Soldaten und Kriegsgerät über den Kanal zu schaffen. Die Schiffe hatten nur geringen Tiefgang, um nah an die Sandstrände heranfahren zu können.

Verstärkung des Atlantikwalls

Die Deutschen wussten, dass die Invasion eines Tages erfolgen würde. Seit 1942 hatten sie von Südfrankreich bis Norwegen Küstenbefestigungen, den sogenannten Atlantikwall, angelegt. 1944 besichtigte Feldmarschall Rommel die Verteidigungsanlagen. Er ließ noch Minen legen und Panzersperren errichten.

LANDUNG IN DER NORMANDIE

AM 6. JUNI 1944 stach in England eine gewaltige Flotte in See, um in der Normandie die Invasionstruppen anzulanden. General Eisenhower riskierte es, das Unternehmen trotz schlechten Wetters anlaufen zu lassen. Die Strände, an denen die Soldaten landeten, wurden von deutschen Truppen verteidigt, sodass sich die Alliierten auf schwere Kämpfe gefasst machen mussten.

Luftlandetruppen
Fallschirmjäger waren die ersten alliierten Soldaten, die die Normandie erreichten. In der Nacht vor der Invasion sprangen sie im Hinterland der Strände ab. Die Luftlandetruppen hatten Verluste, konnten jedoch Brücken und andere wichtige Punkte in ihre Hand bringen.

Die Landung von See
Die Landungsfahrzeuge trugen die Männer so nah wie möglich an die Strände. Dann fiel die Bugklappe und die Soldaten wateten mit ihren Waffen und dem schweren Sturmgepäck zum Ufer. Am Strand von Colleville-sur-Mer (Omaha Beach) erreichten viele amerikanische Soldaten das Ufer gar nicht. Entweder fielen sie im feindlichen Feuer oder ertranken im tiefen Wasser.

Landungen am 6. Juni 1944

→ Britische und kanadische Landungen
→ Amerikanische Landungen
— Alliierte Brückenköpfe, 6./7. Juni

Die Strände der Normandie
Utah, Omaha, Gold, Juno und Sword
hatte man die umkämpften Strand-
abschnitte getauft. Die amerikanischen
Fallschirmtruppen landeten am Utah
Beach, die britischen Springer ostwärts
von Sword. Am Abend waren 150 000
alliierte Soldaten in Frankreich.

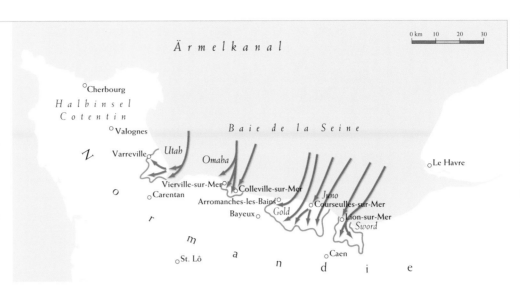

Ärmelkanal

Baie de la Seine

Cherbourg
Halbinsel Cotentin
Valognes
Varreville · Utah
Omaha
Le Havre
Vierville-sur-Mer
Carentan · Colleville-sur-Mer
Arromanches-les-Bains · Juno
Bayeux · Gold · Courseulles-sur-Mer
Lion-sur-Mer
Sword
St. Lô · Caen

Normandie

0 km 10 20 30

Stabilisierung des Erfolgs
Nach der Eroberung der Strände mussten die Alliierten
ihre Truppen in der Normandie verstärken. Sie führten
massive Truppenkontingente, Gerät und Proviant heran.
Briten und Kanadier hatten bei der Landung weniger
Verluste als die Amerikaner, doch in den folgenden
Wochen fielen bei den schweren Kämpfen im Binnen-
land viele ihrer Kämpfer.

Am Invasionstag umfasste die alliierte Streitmacht mehr als 6000 Schiffe und 13 000 Kampfflugzeuge.

Deutsche Verluste
Die alliierten Verluste am Invasionstag
werden auf rund 10 000 Tote und Verwundete geschätzt. Die Zahlen der deutschen
Opfer konnten nie genau beziffert werden,
doch viele deutsche Soldaten gerieten
an den Stränden in Gefangenschaft. Die
Deutschen waren überrascht worden.
Sie fassten sich allerdings schnell und
kämpften verbissen, um die Alliierten
in der Nähe der Normandie-Küste
unter Kontrolle zu halten.

117

STIMMEN ZUR LANDUNG DER ALLIIERTEN

Am 6. Juni 1944 landeten etwa
150 000 großteils unerfahrene alliierte
Soldaten an der Küste der Normandie.
Während sie unter Beschuss von den
Landungsfahrzeugen ans Ufer wateten,
mussten sie Angst und Panik überwinden,
während um sie herum die Kameraden
fielen. Wer überlebte, bemühte sich,
den Strand hinaufzugelangen.

„DIE FRANZÖSISCHE KÜSTE war in Sicht, und wir konnten Qualm sehen, wo die schweren Schiffsgeschütze gefeuert hatten ... Je näher wir kamen, desto deutlicher wurde erkennbar, dass es dort schlimm zuging. Wenn sich bei einem Landungsschiff die Bugklappe öffnet, gerät man sofort unter MG-Feuer. Hauptmann Zappacosta ging als erster von Bord und wurde sofort getroffen ... Ich ging als Vierter runter. Was mir das Leben rettete, war der Umstand, dass ich seitwärts von der Rampe ging ... bis zum Hals im Wasser ... Zappacosta kam wieder hoch und brummelte etwas ... dann ging er wieder runter, und wir sahen ihn nie wieder. Die hinter mir wurden genauso niedergemäht. Bis heute habe ich nicht einen wiedergetroffen, der diese Landung überlebt hätte."

Bob L. Sales aus Virginia, landete mit seinem
amerikanischen Infanterieregiment 116
am Omaha Beach

„*SOLDATEN, SEELEUTE UND Flieger der Alliierten Expeditionstruppe! Ihr seid im Begriff, den Großen Kreuzzug anzutreten. Auf euch ruhen die Augen der Welt. Die Hoffnungen aller freiheitsliebenden Menschen ruhen auf euch. Gemeinsam mit unseren tapferen Verbündeten und Waffenbrüdern an anderen Fronten werden wir die Vernichtung der deutschen Kriegsmaschinerie zuwege bringen, die Nazi-Tyrannei über die unterdrückten Völker Europas beseitigen und Sicherheit für uns selbst in einer freien Welt sichern.*"

General Dwight D. Eisenhower, Oberster Befehlshaber
der Alliierten, am 6. Juni 1944 in seinem Tagesbefehl

„*NIEMAND AHNT, was es heißt, wenn man unter schwerem Beschuss liegt und man runter [vom Landungsboot] und am Leben bleiben muss. Wer das zum ersten Mal mitmacht, begreift es nicht, egal, wie oft man es ihm vorher erzählt hat. Und die Leute kamen vom Strand nicht weg. Sie waren vor Angst wie erstarrt. Ich auch, aber irgendwie wusste ich, dass ich entweder anhalten und sterben würde oder aber mich aufrappelte und davonmachte. Also sah ich zu, dass ich von diesem verteufelten Fleck wegkam.*"

Feldwebel William Spearman von der
4. Kommandoeinheit des britischen Heers,
gelandet am Strandabschnitt Sword

„Auf diesem Strand gibt es zwei Arten von Menschen, die Toten und die Sterbenden. Lasst uns also in Gottes Namen von hier verschwinden!"

Oberst George Tayler am Strandabschnitt Omaha

Bei der Landung in der Normandie am 6. Juni 1944 – Tarnname Operation Overlord – waten amerikanische Invasionstruppen ans Ufer.

JAPAN WIRD ZURÜCKGEDRÄNGT

JAPAN FÜHRTE SEIT 1937 Krieg gegen China und besetzte 1942 Birma (Myanmar), eine britische Kolonie. Dadurch unterbrach es die „Birma-Straße", den Versorgungsweg von Indien zu den nationalchinesischen Truppen in Südwestchina. Daraufhin setzten die Alliierten Spezialeinheiten aus der Luft ab. Seit 1944 drängten die Alliierten die Japaner in schweren Gefechten in schwierigem Dschungelgelände erfolgreich zurück.

Merrills „Marodeure"
Das amerikanische Gegenstück der „Chindits" (siehe links) waren die „Marodeure" General Merrills. Viele dieser amerikanischen Soldaten hatten bereits am Inselkrieg im Pazifik teilgenommen. Die Marodeure marschierten 1600 Kilometer tief in den burmesischen Dschungel, wo sie sich mit den Japanern schwere Gefechte lieferten.

Wingates „Chindits"
Großbritannien schuf unter dem Befehl „Order Wingates" eine Kommandotruppe, die sich als „Chindits" einen Namen machte. Die Soldaten stammten aus dem gesamten britischen Kolonialreich, z. B. aus Indien, Nigeria und Birma selbst. Mehrere Tausend kämpften im birmesischen Dschungel gegen die japanischen Truppen. Viele wurden in den Kämpfen getötet oder starben an Krankheiten.

Kämpfe bei Imphal und Kohima
1944 griffen die Japaner von Birma aus Nordostindien an. In den Schlachten von Imphal und Kohima wurden sie von britischen Truppen zurückgedrängt und verloren rund 50 000 Mann – Tote und Verwundete. Dies war der Wendepunkt des Kriegs in Birma, und die Alliierten gingen in die Offensive. Im Lauf des Jahres 1945 wurde Birma zurückerobert.

Strandlandungen

Die US-Truppen mussten unter schwerem Beschuss an den Stränden der birmesischen Inseln landen. Obwohl dafür ausgebildet, ließen zahlreiche Soldaten ihr Leben dabei. Vor der Koralleninsel Tarawa liefen die US-Landungsboote am Riff auf Grund. Die Männer mussten von weit draußen an Land schwimmen und waten. Viele erreichten niemals den Strand.

Amphibienfahrzeuge

Die Amerikaner hatten eine Reihe wohldurchdachter Amphibienfahrzeuge – leicht gepanzerte Kettenfahrzeuge, die von See anlandeten und dann den Strand hinauffuhren. Sie konnten auf den Feind schießen und gleichzeitig den Soldaten in ihrem Innern Schutz bieten. Die Amerikaner bezeichneten sie als „Alligatoren".

CODE DER NAVAJOS

Die Marine-Infanterie der USA setzte beim Kampf um die birmesischen Inseln Navajo-Indianer als Funker ein. Die wenig geläufige Sprache der Navajos diente dabei als Code. Wenn die Japaner Meldungen der Navajo sprechenden Funker auffingen, konnten sie nichts damit anfangen.

Heftige Kämpfe auf Saipan

Die Kämpfe um die Marianeninsel Saipan tobten im Sommer 1944. Die Japaner hatten sich in Höhlen im Vulkangestein der Inselberge zurückgezogen, wo sie drei Wochen lang standhielten. Die Amerikaner setzten bei ihren Versuchen, die Japaner durch Rauch aus den Höhlen zu treiben, schwere Schiffsartillerie und Flammenwerfer ein.

SIEG DER USA IM PAZIFIK

DEN ERFOLG IM PAZIFIK verdankt Amerika seiner Marine. In den zwei großen Schlachten des Jahres 1944 wurde die japanische Kriegsmarine vernichtet. Die Japaner waren eine Zeit lang imstande, dem Feind zu schaden, aber ihre eigenen Verluste waren stets die höheren. Anders als die Amerikaner konnten sie die Verluste an Schiffen und Menschen nicht ersetzen. Die japanischen Flieger wurden zu Selbstmordeinsätzen gezwungen, um überhaupt noch etwas auszurichten.

Kampfstarke Flugzeugträger
1944 standen der USA viele neue Flugzeugträger zur Verfügung. Diese Trägergruppen vermochten Hunderte von Maschinen gleichzeitig in der Luft zu halten. Die Träger wurden gegen Luftangriffe durch Flugabwehr-Artillerie oder Begleitschiffe geschützt.

„Truthahnschießen bei den Marianen"
Bei der Schlacht im Philippinenmeer im Juni 1944 kamen auf beiden Seiten Flugzeugträger zum Einsatz. Japanische Flieger griffen die amerikanische Trägerflotte an, wurden aber zu Hunderten abgeschossen. Der Gefechtsverlauf war so einseitig, dass die Amerikaner es das „Truthahnschießen bei den Marianen" nannten.

Hellcat-Jäger

Die Amerikaner waren zum Teil deshalb erfolgreicher, weil ihnen mehr erfahrene Piloten zur Verfügung standen als den Japanern. Wichtig war aber, dass die USA neue Jägertypen einsetzten. Seit 1943 hatten die Träger Jagdflugzeuge vom Typ Grumman Hellcat an Bord. Sie schossen mehr als 5000 japanische Maschinen ab.

Im pazifischen Krieg wurden 90 Prozent der japanischen Kriegsflotte versenkt oder beschädigt.

Die Schlacht im Golf von Leyte

Im Oktober 1944 versuchten die Japaner zum letzten Mal, die amerikanische Flotte zu zerstören. Die Schlacht im Golf von Leyte war die wohl größte Seeschlacht der Geschichte, an ihr waren mehr als 200 amerikanische und etwa 70 japanische Kampfschiffe beteiligt. Sie endete katastrophal für die Japaner: 27 Schiffe wurden versenkt und 10 000 Mann starben. Die amerikanischen Verluste waren weniger schwer: sechs gesunkene Kriegsschiffe und 3500 Tote.

Kamikaze-Einsätze

Bei der Schlacht im Golf von Leyte flog die japanische Luftwaffe Selbstmordeinsätze gegen amerikanische Kriegsschiffe. Statt Bomben oder Torpedos abzuwerfen, versuchte der Pilot, seine mit Sprengstoff gefüllte Maschine auf ein Schiff zu stürzen. Die Taktik wird im Japanischen als *kamikaze* (Götterwind) bezeichnet.

Der U-Boot-Krieg

In den Seeschlachten mit den Japanern waren amerikanische U-Boote sehr wirkungsvoll. Nach den Kämpfen im Golf von Leyte konnten die Japaner auf dem Seeweg kein Material wie etwa Öl und Nahrungsmittel mehr einführen. Japan drohte eine Hungersnot, die Kriegsanstrengungen wurden durch Treibstoffmangel stark behindert.

DAS KRIEGSENDE

DAS LETZTE KRIEGSJAHR war von extremen Zerstörungen geprägt, da Deutschland und Japan bis zum bitteren Ende kämpften. Viele, die unter deutscher oder japanischer Besetzung gelitten hatten, begrüßten die Befreiung. Doch bei Luftangriffen auf die Städte, darunter zwei Atombombenabwürfe in Japan, kamen Hunderttausende ums Leben. Nach schweren Gefechten siegten die Alliierten schließlich auf dem europäischen und dem japanischen Kriegsschauplatz.

Dresden verwüstet
Nach nächtlichen Bombenangriffen der Alliierten vom 13.–15. Februar 1945 lag Dresden in Trümmern. Bei der Zerstörung der mit Flüchtlingen überfüllten Stadt kamen mehr als 25 000 Zivilisten ums Leben.

25. Juli
Die sowjetische Armee befreit das Konzentrations- und Vernichtungslager Majdanek bei Lublin.

17. September
Der Absprung alliierter Fallschirmtruppen über den Niederlanden eröffnet „Unternehmen Market Garden".

12. Januar
Sowjetische Truppen beginnen von Osten her auf deutsches Reichsgebiet vorzumarschieren.

20. Juli
Ein Attentat auf Hitler scheitert.

3. September
Die belgische Hauptstadt Brüssel wird befreit.

7. November
Roosevelt wird zu einer vierten Amtszeit als amerikanischer Präsident wiedergewählt.

13.–15. Februar
Alliierte Bomber zerstören Dresden.

1944

1. August
Widerstandskämpfer in Warschau beginnen einen Aufstand gegen die Deutschen, den diese nach zweimonatigen Kämpfen niederschlagen.

26. Oktober
Nach dreitägigen Kämpfen fügt die US-Marine den Japanern in der Schlacht im Golf von Leyte eine vernichtende Niederlage zu.

27. Januar
Die sowjetische Armee befreit Auschwitz.

19. Februar
Amerikanische Marineinfanterie lande auf der Insel Iwo Jima

24. August
Nach Aufstand der französischen Widerstandsbewegung befreien die Alliierten Paris.

8. September
Deutsche V2-Raketen werden erstmals auf Großbritannien abgefeuert.

16. November
Beginn der Ardennen-Offensive. Sie endet im Monat darauf mit der deutschen Niederlage.

4.–11. Februar
Die Führer der Alliierten, Stalin, Churchill und Roosevelt, treffen sich in Jalta.

25. April
An der Elbe erste Begegnung zwischen US-
und UdSSR-Soldaten auf deutschem Boden.
Lücke zwischen deutscher Ost- und Westfront
geschlossen; Kriegsende rückt näher.

23. Mai
Absetzung und
Verhaftung der
deutschen Regierung
Dönitz

9. August
Sowjetische Truppen marschieren in
die japanisch besetzte Mandschurei
ein. Die Amerikaner werfen eine
zweite Atombombe auf Nagasaki ab.

1. April
Amerikanische Truppen landen
auf Okinawa, die Kämpfe um die
Eroberung der Insel halten bis
zum Juni an.

2. Mai
Die deutschen
Truppen in Berlin
kapitulieren vor der
sowjetischen Armee.

7. Mai
Unterzeichnung der
bedingungslosen Kapitula-
tion aller Truppenteile
der deutschen Wehrmacht
in Reims

17. Juli
Konferenz der Alli-
ierten in Potsdam,
die am 2. August
mit dem Potsdamer
Abkommen endet

14. August
Japan akzeptiert
die Kapitulation.

1945

12. April
Roosevelt stirbt,
Harry S. Truman folgt ihm
als US-Präsident nach.

30. April
Hitler begeht in
seinem Berliner
Bunker Selbst-
mord.

5. Mai
Unterzeichnung
der Kapitulation der
deutschen Streit-
kräfte in den Nieder-
landen, Dänemark
und Norwegen.

8. Mai
Wiederholung des
deutschen Kapitulations-
akts im sowjetischen
Hauptquartier in
Berlin-Karlshorst.

Kriegsende in Europa.
Die Gesamtkapitulation
tritt am 9. Mai in Kraft.

26. Juli
Der britische
Premierminister
Churchill verliert die
Parlamentswahl und
wird von Clement
Attlee abgelöst.

6. August
Die USA werfen
auf das japanische
Hiroshima eine
Atombombe ab.

2. September
Japan unterzeichnet
die Kapitulation
formell auf dem
US-Schlachtschiff
Missouri.

9.–10. März
Amerikanische B-29-Bomber
vernichten mit einem Bombenangriff weite Teile von Tokio.
Im Feuersturm sterben mehr als
100 000 Menschen.

28. April
Der ehemalige italienische Diktator
Benito Mussolini wird von italienischen
Widerstandskämpfern ergriffen und
umgebracht.

Westfront 1944

⟶	Alliierter Vormarsch
—	Deutscher Frontverlauf, 25. Juli
—	Deutscher Frontverlauf, 13. August
– –	Deutscher Frontverlauf, 26. August
· · ·	Deutscher Frontverlauf, 14. September
· · · ·	Deutscher Frontverlauf, 15. Dezember

Die Westfront, Juni–September 1944

Die alliierten Kräfte in der Normandie durchbrachen Anfang August die deutschen Truppen und marschierten rasch durch Frankreich und Belgien vor. Hauptproblem war die Treibstoffversorgung, die mit den vorstürmenden Panzern nicht Schritt halten konnte. Mitte August landete ein zweites alliiertes Truppenkontingent an der Südküste Frankreichs.

DIE BEFREIUNG FRANKREICHS UND BELGIENS

NACH DER INVASION standen den alliierten Truppen noch schwere Kämpfe bevor. Kurz hinter den Küstenabschnitten blieben sie stecken. Sie benötigten zwei Monate, um die deutschen Truppen zu durchbrechen. Dann aber jagten die alliierten Panzer durch Frankreich bis nach Belgien hinein. Es sah so aus, als würde Deutschland bis Weihnachten 1944 besiegt sein.

Panzerführer

General George Patton führte den raschen alliierten Panzervorstoß quer durch Frankreich Zuvor hatte er mit der 3. Armee das Konzentrationslager Buchenwald bei Weimar befreit. Schockiert von der Grausamkeit der Nationalsozialisten, befahl er, die Weimarer Bevölkerung durch das KZ zu führen, um ihnen die Leichenberge im Lager zu zeigen.

Zerstörung von Caen

Die nordfranzösische Stadt Caen lag nur 10 km landeinwärts, doch die Deutschen hielten sie nach der Invasion noch einen ganzen Monat lang. Die Bomber der Alliierten griffen die Stadt an, die schließlich am 9. Juli erobert wurde.

Pariser Widerstand

Beim Näherrücken der Alliierten führte die französische Résistance den offenen Kampf gegen die Deutschen. Die Widerstandskämpfer konnten den größten Teil der Stadt erobern, wobei 1500 von ihnen getötet wurden.

BEGLEICHEN OFFENER RECHNUNGEN

Mit der Befreiung entlud sich vielerorts die Wut auf diejenigen, die mit den Deutschen zusammengearbeitet, „kollaboriert", hatten. Tausende wurden erschossen und noch mehr inhaftiert oder öffentlich gedemütigt. Viele Französinnen, die sich mit deutschen Soldaten eingelassen hatten, wurden kahl geschoren.

Triumphaler Einzug

Die Freien Französischen Streitkräfte unter General de Gaulle hatten den ganzen Krieg über gegen die Deutschen gekämpft. Sie zogen als erste alliierte Truppe in Paris ein. De Gaulle führte seine Siegesparade durch die Stadt an und wurde französischer Regierungschef.

Freude über Befreiung

Die alliierten Befreier wurden von jubelnden Mengen begrüßt. In der belgischen Hauptstadt Brüssel kletterten am 3. September Zivilisten auf die Panzer, schwenkten die Landesflagge und feierten das Ende der deutschen Besatzung.

DEUTSCHLAND RÜSTET SICH ZUM LETZTEN GEFECHT

IM SOMMER 1944 sah Deutschland der sicheren Niederlage entgegen. Trotz der Gewissheit, dass sie weiterhin Massen von Menschen in den sicheren Tod schickte, dachte die NS-Führung nicht daran zu kapitulieren. Nach dem Scheitern des Attentats auf Hitler war klar, dass der Krieg bis zum bitteren Ende ausgefochten werden würde. Obwohl sich in Deutschland ein gewisser Widerstand regte, ließ sich die große Mehrheit der deutschen Soldaten und Zivilisten immer noch zur Verteidigung des Landes bewegen.

Attentat

Im Juli 1944 plante eine Gruppe deutscher Heeresoffiziere und Diplomaten, Hitler zu töten. Im Führerhauptquartier Wolfsschanze deponierte Oberst Claus Graf Schenk von Stauffenberg eine Bombe, die während einer Lagebesprechung mit Hitler explodierte. Dieser überlebte jedoch. Wenige Stunden später zeigte Hitler seinem Besucher Mussolini den verwüsteten Besprechungsraum. Die Verschwörer begingen Selbstmord oder wurden gefasst, gefoltert und – wie Stauffenberg – hingerichtet.

Verwüstete Städte

Das alliierte Flächenbombardement verwüstete ab Mitte 1944 die deutschen Städte. Die Angriffe erfolgten bei Tag und bei Nacht und viele Menschen wurden getötet. Wer nicht umgekommen war, dem fehlte es am Nötigsten. Es gab nur sehr wenig zu essen, und die Menschen kämpften täglich ums Überleben.

Speer forciert Kriegsanstrengungen

Albert Speer war Rüstungsminister. Er steigerte die Produktion des Kriegsgeräts durch Einsatz von Zwangsarbeitern, Kriegsgefangenen, KZ-Häftlingen und deportierten Juden. Auch die Arbeitszeit der Deutschen wurde verlängert. Wegen der Bombenangriffe wurden die Fabriken in unterirdische Bunker verlagert.

Dienstverpflichtung der Frauen

Die Nationalsozialisten setzten sich dafür ein, dass Frauen als Hausfrauen und Mütter tätig waren. Als im Lauf des Kriegs jedoch die Arbeitskräfte in der Rüstungsindustrie sowie bei Kriegshilfsdiensten knapp wurden, setzte man immer mehr Frauen in Positionen ein, für die keine Männer mehr da waren, so auch als Luftschutzwarte.

Der „Deutsche Volkssturm"

Als in Deutschland die Soldaten knapp wurden, berief das NS-Regime alle Jungen und Männer zwischen 16 und 60, die nicht bereits Uniform trugen, zu dem militärischen Verband „Volkssturm" ein. Insgesamt waren es 6 Mio. Sie wurden nur notdürftig ausgebildet und bewaffnet, viele von ihnen mussten im Zug der Endkämpfe an die Front gehen und starben dort.

Die Hitlerjugend

Die Mitgliedschaft in der Hitlerjugend (HJ) war seit 1936 für alle 10- bis 18-jährigen Jugendlichen Pflicht. Im Krieg beteiligte sich die HJ an der Luftverteidigung der deutschen Städte. Die Hitlerjungen dienten als Helfer bei der Flugabwehr (Flak) und halfen bei Feuerwehr und Rettungsdiensten. Viele kämpften zum Schluss auch in der Wehrmacht.

WIDERSTAND DER JUNGEN

Zahlreiche Deutsche, viele von ihnen aus der Arbeiterbewegung, leisteten politischen Widerstand. Die meisten sperrten die Nationalsozialisten jedoch bereits in den Anfangsjahren des NS-Regimes in Konzentrationslager, allein zwischen 1933 und 1935 waren es über 20 000. Hier sehen wir die Münchner Studenten Hans und Sophie Scholl mit Christoph Probst (v.l.n.r.) von der Widerstandsgruppe Weiße Rose, die mit Flugblättern zum Widerstand aufriefen. Die meisten Gruppenmitglieder wurden 1943 verhaftet, die sechs Gründer wurden hingerichtet.

KRIEGSEINSATZ VON JUGENDLICHEN

IN DER **HJ** BOTEN Sport, Exerzierübungen, Märsche, aber auch Einrichtungen wie die Nachrichten-, die Marine- und Flieger-HJ eine vormilitärische Ausbildung. Jungen wurden zu Aufräumarbeiten nach Bombenangriffen sowie als Flakhelfer eingesetzt und wurden gegen Ende des Krieges im „Volkssturm" sinnlos geopfert. Mädchen leisteten Telefondienste, halfen bei Truppentransporten oder betreuten die aus bombengefährdeten Städten evakuierten Kinder. Einen geregelten Schulalltag gab es gegen Ende des Krieges nicht mehr. Der Ausnahmezustand war zur Regel geworden.

Vom Hitlerjungen zum Kriegsfreiwilligen

„Wir werden gebraucht!", „Wir werden unser Bestes geben!" Die andauernde Beeinflussung durch die Nazis wirkte. Mit Entschlossenheit im Blick lassen sich 16- bis 17-jährige Hitlerjungen für den Dienst in der Waffen-SS verpflichten. Bei Werbeaktionen in Schulen und HJ-Einheiten war die Aufforderung zur freiwilligen Meldung oft mit eindeutigen Drohungen gekoppelt.

Flakhelfer in Aktion

Jugendliche an einem Flugabwehr-(Flak-)Geschütz. Ab Anfang 1943 wurden alle Ober- und Mittelschüler der Jahrgänge 1926/1927 als Flakhelfer bei den Luftabwehreinheiten eingezogen, damit mehr Soldaten an der Front eingesetzt werden konnten. Einhundert Flakhelfer sollten siebzig Soldaten ersetzen. Seit 1944 waren schon 15-Jährige im Einsatz. Im Schichtdienst hatte die Flugabwehr Tag und Nacht bereit zu sein.

Kriegseinsatzübung

1939 hatten derartige Übungen zwar noch einen spielerischen Charakter, aber sie appellierten auch an die Abenteuerlust der Jugendlichen. Während die Propaganda den Heldentod verklärte und die NS-Ideologie das Opfer für die „Volksgemeinschaft" nahebrachte, schien der blutige Ernst weit entfernt. Unter Aufsicht eines Funktionärs des Reichsluftschutzbundes üben Berliner Hitlerjungen den Umgang mit Gasmasken.

BDM-Führerin bei „Osteinsatz" 1940

Während sich die jungen Männer auf den Kriegseinsatz vorbereiteten, leisteten auch die jungen Frauen des Bundes Deutscher Mädel (BDM) besondere Hilfsdienste im Krieg. So unterstützten sie im „Osteinsatz" die sogenannten Neusiedler in den von deutschen Truppen besetzten Gebieten. Das Ziel der Nationalsozialisten, „Lebensraum" im Osten zu gewinnen, schien in Erfüllung zu gehen.

Kriegsende – ein böses Erwachen

Wut, Verzweiflung, Schmerz, Trauer. Die Enttäuschung einer verführten Generation spiegelt sich im Gesicht dieses Hitlerjungen. Ende März 1945 überlebte er als Einziger den Kampfeinsatz bei einer Flakbatterie am „Westwall". Viele Jugendliche glaubten besonders stark an die Lehren der Nazis. Jahrelang waren sie in der HJ der NS-Propaganda ausgesetzt gewesen. Dann waren plötzlich alle Werte zerstört.

HJ im Kriegseinsatz

April 1945. Hitlerjungen an einem Maschinengewehr bei der Verteidigung Berlins. Was war an Berlin noch zu verteidigen? Selbst wenn ihnen diese Frage durch den Kopf gegangen wäre, sie hätten sie nicht stellen dürfen. Standgerichte machten Jagd auf Fahnenflüchtige und verschonten auch die jüngsten Soldaten nicht. Sie mussten ausharren, auf einen aussichtslosen Endkampf warten und auf das Glück hoffen, die Endphase des Krieges zu überleben.

„Kriegsspiele" – Eisernes Kreuz für Kinder

Ende März 1945 war der Nationalsozialismus längst am Ende, bald sollte auch Berlin ein Trümmerfeld sein. Die Rote Armee formierte sich zum letzten Kampf, bei dem noch einmal 250 000 Menschen sterben werden. Dennoch steht dem kleinen Hitlerjungen der Stolz ins Gesicht geschrieben. Er wurde von Hitler persönlich mit dem Eisernen Kreuz ausgezeichnet. Etwa einen Monat später beging der Diktator Selbstmord.

DIE SUCHE NACH DER „WUNDERWAFFE"

Die Niederlage vor Augen, hoffte Hitler auf eine kriegsentscheidende Wende durch eine „Wunderwaffe". Tatsächlich veränderten 1944 Neuentwicklungen wie ballistische Raketen und das Düsenflugzeug die Kriegsführung. Allerdings entwickelte Amerika und nicht Deutschland mit dem Atombombenprojekt die „Wunderwaffe" mit der bis dahin größten Zerstörungskraft (siehe S. 158–159).

Wissenschaftler im Exil

Deutschland hatte zwar eine große wissenschaftliche Tradition, doch nach der Machtergreifung der Nationalsozialisten mussten viele Forscher, darunter zahlreiche Juden wie Albert Einstein, aus ihrem Land fliehen, um ihrer Verhaftung und Ermordung zu entgehen. Andere Wissenschaftler, wie Otto Hahn, Werner Heisenberg oder Carl Friedrich von Weizsäcker versuchten, für die Nazis die Atombombe zu entwickeln, waren jedoch bis Kriegsende nicht erfolgreich.

Flugbombe V1

Die ab 1944 eingesetzte Flugbombe Fieseler Fi 103, die „Vergeltungswaffe 1" (V1), war eine einfache, wirksame Konstruktion: ein unbemanntes, mit Sprengstoff gefülltes Flugzeug. Nach Ausfall des Triebwerks schlug der Flugkörper auf dem Boden auf und explodierte. Die V1 wurden v. a. bei Angriffen auf London und Antwerpen eingesetzt.

V1-Bombenschäden

Die V1 machte den Londonern mehr Angst als der „Blitzkrieg". Von Juni–September 1944 flogen sie bei Tag und Nacht, verwüsteten ganze Stadtteile und forderten Tausende von Todesopfern. Mit der Zeit gelang es der britischen Luftverteidigung besser, die V1 bereits fernab der Wohngebiete abzuschießen.

Raketenforscher

Wernher von Braun, seit 1938 Mitglied der NSDAP und seit 1940 der SS, leitete die deutsche Forschergruppe, die die V1 und V2 entwickelte. Weil die Amerikaner an seinem Wissen interessiert waren, brachten sie ihn und andere Wissenschaftler direkt nach Kriegsende in die USA, damit er dort Raketen für sie entwickelte und ihr Raumfahrtprogramm voranbrachte.

Düsenjagdflugzeug

Bei Beginn des Zweiten Weltkriegs waren alle Flugzeuge Propellermaschinen. 1944 kam das erste Kampfflugzeug mit Düsenantrieb in Deutschland zum Einsatz. Diese Me 262 von Messerschmitt waren weit schneller als jedes Propellerflugzeug und schossen die alliierten Maschinen serienweise ab. Doch sie waren unausgereift und stürzten oft ab.

Im Juli 1944 waren in und um London innerhalb von zwei Wochen mehr als 6000 Tote und rund 18 000 Verletzte durch V1-Beschuss zu beklagen.

GASKRIEG

Während des Kriegs wurden in Deutschland tödliche chemische Kampfstoffe wie etwa Sarin entwickelt. Das Gas wurde jedoch nicht eingesetzt, weil Deutschland Vergeltungsmaßnahmen der Alliierten fürchtete. In Europa wurde kein Kampfgas eingesetzt, die bei Kriegsbeginn verteilten Gasmasken wurden also nicht benötigt. Japan jedoch setzte Giftgas gegen die Chinesen ein.

V2-Raketen

Der V1 folgte die V2, die erste voll funktionsfähige Großrakete – ein nur einmal kurzzeitig angetriebener Flugkörper. Sie wurde auch „Aggregat 4" (A4) genannt. Die V2 war schneller als der Schall und schlug daher ohne warnendes Fluggeräusch am Boden ein. Zwar war die Treffgenauigkeit nicht besonders groß, trotzdem kamen rund 8000 Menschen durch sie um, dazu Tausende von Zwangsarbeitern bei ihrer Produktion.

PROPAGANDA UND KAMPFMORAL

IM VERLAUF DES KRIEGS versorgte jede Regierung die Bevölkerung ihres Landes nur mit bestimmten Informationen, um die Unterstützung für ihre Politik und den Hass auf den oder die Gegner zu steigern. Dabei mischte man die Wahrheit mit verdrehten Tatsachen und Lügen. Dies bezeichnet man als Propaganda. Um die Kampfmoral der Soldaten zu heben, zog man auch die Unterhaltungsindustrie heran.

Während des Kriegs gingen wöchentlich etwa 90 Millionen Amerikaner ins Kino.

Der Propagandaminister

Joseph Goebbels war als Propagandaminister Hitlers rechte Hand. Der überzeugte Nationalsozialist wusste sich den Rundfunk, mit dem man vor der Einführung des Fernsehens die meisten Menschen erreichte, wie kaum ein anderer für seine mörderische Propaganda zu nutzen.

Juden als Schuldige

Dieses NS-freundliche französische Plakat vom November 1942 versinnbildlicht Hitlers unsinnigen Glauben an eine jüdische Kriegsschuld. Es zeigt im Vordergrund den US-Präsidenten Roosevelt. Der Mann hinter ihm im Judenstern sollte darauf hindeuten, dass die Juden den Franzosen Nordafrika „geraubt" hätten.

Japan als Würgeschlange

In den USA schürten Plakate den Hass auf Japan. Dieses Exemplar fordert die Amerikaner zum Spenden von Eisenschrott für den Krieg auf. Es zeigt Japan in Gestalt einer Schlange.

KRIEGSFOTOGRAFEN

Kriegsberichterstatter begleiteten die Truppe mit der Kamera, um Bildmaterial von den Kämpfen zu liefern. Berühmt waren die Amerikanerin Lee Miller und Robert Capa, ein gebürtiger Ungar. Oft gingen sie große Risiken ein – Capa ging mit den Invasionstruppen an der nordfranzösischen Küste an Land.

Wahre Helden

Einige Soldaten, etwa Oberstleutnant Guy Gibson, unter dessen Befehl die Möhne- und die Edertalsperre bombardiert worden waren, wurden für die Propaganda eingespannt. Sie wurden zu öffentlichen Auftritten verpflichtet, fühlten sich oft aber unwohl, so präsentiert zu werden. Gibson meldete sich wieder an die Front und stürzte 1944 mit seinem Flugzeug ab.

Sowjetische Stärke

Die Sowjetunion betonte die kluge Führung Stalins, dazu die Geschlossenheit des sowjetischen Volkes. Plakate unterstrichen die große Stärke der Roten Armee. Hier wird die faschistische Spinne gnadenlos zermalmt.

Bei Laune halten

Für die moralische Aufrüstung sorgten Unterhaltungskünstler. Musiker wie Glenn Miller und Komiker wie Bob Hope hielten Soldaten und Zivilisten bei Laune. Die Sängerin Vera Lynn wurde „The Forces' Sweetheart" genannt.

Filmhelden

Während des Kriegs spielten Filme eine wichtige Rolle. Millionen Menschen zog es der Wochenschauen und der Filme wegen in die Kinos. Oft waren diese sehr patriotisch oder dienten als Zerstreuung vom Alltag. 1943 spielte Hans Albers in *Münchhausen*.

DIE SOWJETS RÜCKEN VOR

OBWOHL DIE ROTE ARMEE im Sommer 1944 die Deutschen
aus der UdSSR verdrängt hatte, stieß sie immer noch auf
heftigen Widerstand der Wehrmacht. Bei ihrem Vormarsch
westwärts erlitten die sowjetischen Truppen schwere
Verluste. In Polen entdeckten sie schreckliche Beweise der
Nazi-Völkermorde. Die Sowjets selbst wandten sich in vielen
Fällen auch gegen die Zivilbevölkerung, z.B. setzten sie wie
die Deutschen auch Vergewaltigungen als Kriegsstrategie
gegen die Zivilbevölkerung ein. Viele Deutsche ergriffen
vor der heranrückenden Roten Armee die Flucht.

Warschauer Aufstand
Im Sommer 1944 erhob sich der polnische
Widerstand (Armia Krajowa) gegen die deut-
schen Besatzer. Die Polnische Heimatarmee
hielt treu zur antisowjetischen polnischen
Exilregierung in London. Die sowjetischen
Truppen kamen der Heimatarmee bei ihrem
Kampf gegen die Deutschen nicht zur Hilfe
und es ist bis heute umstritten, ob sie es nicht
konnten oder nicht wollten.

Ostfront 1944

→ Sowjetischer Vormarsch
— Deutscher Frontverlauf, 22. Juni
- - - Deutscher Frontverlauf, 25. Juli
–·–· Deutscher Frontverlauf, 25. September
········· Deutscher Frontverlauf, 15. Dezember

Sowjetischer Vormarsch
Zwischen Sommer 1944 und Winter 1944/1945
eroberte die Rote Armee die baltischen Länder
zurück und marschierte in Ostpolen, Rumänien,
Ungarn, Bulgarien und Jugoslawien ein. Der
kommunistische Partisanenführer Tito konnte
die jugoslawische Hauptstadt Belgrad einnehmen
und ein kommunistisches Regime errichten.

Niederschlagung des Aufstands
Der Warschauer Aufstand wurde von
SS-Soldaten blutig niedergeschlagen.
Insgesamt kostete der Aufstand mehr als
15 000 polnischen Soldaten und
über 150 000 Zivilisten das Leben. Die
Deutschen evakuierten die Stadt und
verschleppten ca. 150 000 überlebende
Polen in Arbeits- oder Konzentrationslager.

Flucht vor den Russen

Millionen Deutsche flohen vor den Russen nach Westen, da sie befürchteten, dass die Russen für die furchtbaren Leiden ihres Volkes Rache an ihnen nehmen würden. Besonders tragisch war die Versenkung des Schiffs *Wilhelm Gustloff* durch ein sowjetisches U-Boot. 9000 Flüchtlinge sowie viele SS- und Wehrmachtsangehörige starben – die schlimmste Schiffskatastrophe der Geschichte.

Im Januar 1945 fand die Rote Armee im Lager Auschwitz noch etwa 7000 Gefangene lebend vor – insgesamt waren dorthin mehr als 1,3 Millionen Menschen deportiert worden.

Die Befreiung von Auschwitz

Obwohl die SS versuchte, alle Beweise zu vernichten, entdeckte die Rote Armee im Juli 1944 in Majdanek außer sowjetischen Kriegsgefangenen auch die Gaskammern, in denen unzählige Menschen ermordet worden waren. Bei der Befreiung von Auschwitz im Januar 1945 stießen sie auf zahllose Leichen. Nur die kränksten und schwächsten 7000 Lagerinsassen lebten noch. 58 000 Gefangene hatte die SS auf Todesmärsche ins Reichsinnere gezwungen.

Todesmärsche westwärts

Bei ihrem Abrücken zwangen die Deutschen die überlebenden Gefangenen der Lager, mit ihnen fortzumarschieren. Auf den Gewaltmärschen im tiefen Winter starben viele Tausende der völlig geschwächten Juden polnischer, russischer oder auch deutscher Staatsangehörigkeit.

FLUCHT UND VERTREIBUNG

15 MIO. DEUTSCHE FLOHEN seit Anfang 1945 aus ihrer Heimat oder wurden nach dem Krieg vertrieben. Wohl die meisten von ihnen waren nicht persönlich schuldig geworden, aber die deutsche Staatsführung, die sich nun langsam auflöste, hatte sie zu Angehörigen eines „Herrenvolks" erklärt und in einen verbrecherischen Krieg getrieben. Doch waren sie deshalb alle schuldig? Exzesse der Roten Armee wie gewaltsame Vertreibung, Vergewaltigung und Mord lassen sich durch unzählige deutsche Verbrechen erklären, aber nicht rechtfertigen.

Flucht über das Eis
Ab Mitte Januar 1945 geriet ein Großteil der Zivilbevölkerung unmittelbar in die Kampfhandlungen der vorrückenden Front. Nachdem die Rote Armee im Lauf der Schlacht um Ostpreußen Ende Januar bei Elbing das Frische Haff erreicht hatte, war der Landweg abgeschnitten. Beschossen von Tieffliegern, ertranken Tausende bei der Flucht über das Eis.

Verspätete Flucht
Um Menschenleben zu retten, hätte die Evakuierung Ostpreußens viel früher beginnen müssen, aber im Herbst 1944 hatte die damals noch allmächtige NSDAP die Flucht bei Strafe verboten. So konnten sich die Flüchtlingstrecks erst im Januar 1945, kurz vor der sowjetischen Großoffensive, in Bewegung setzen. Zu diesem Zeitpunkt waren viele Parteiobere längst selbst auf der Flucht.

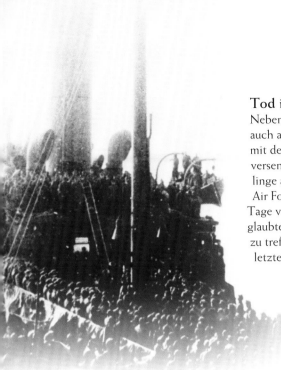

Tod in der Ostsee

Neben der *Wilhelm Gustloff* wurden auch andere Flüchtlingsschiffe und mit der *Cap Arcona* sogar ein Schiff versenkt, das ehemalige KZ-Häftlinge an Bord hatte. Bei der Royal Air Force, die das Schiff wenige Tage vor Kriegsende bombardierte, glaubte man, flüchtende Soldaten zu treffen. Insgesamt wurden in den letzten Kriegswochen bei Angriffen auf Flüchtlingsschiffe über 20 000 Menschen getötet.

Überleben

Ein Flüchtlingskind hat es mit seiner Mutter nach Siegen verschlagen. Ein skeptischer Blick: Was mag die Zukunft bringen? Die Aufnahme von rund 12 Mio. Vertriebenen stellte alle Beteiligten in den vier Besatzungszonen in den Jahren 1945–1949 in Deutschland vor enorme Probleme. Zunächst ging es darum, das nackte Überleben der Vertriebenen sicherzustellen. Nahrung, Kleidung und Wohnraum waren äußerst knapp.

Im rettenden Hafen?

Viele Ostpreußen hatten die Flucht über das Eis nicht gewagt und versuchten, z. B. in Pillau, eines der Flüchtlingsschiffe zu erreichen. Aber in der Ostsee kreuzten sowjetische U-Boote. So wurde die *Wilhelm Gustloff*, die von Gdingen aus einen westlichen Hafen zu erreichen versuchte, auf offener See torpediert. Es sollen über 10 000 Menschen an Bord gewesen sein. Nur etwa 1300 konnten gerettet werden.

Der lange Weg nach Westen

Die NS-Propaganda hatte versucht den Durchhaltewillen zu stärken, indem sie Grausamkeiten der sowjetischen Soldaten anprangerte. Dennoch war die Massenflucht seit Januar 1945 nicht mehr zu verhindern. Die Flüchtlingsströme schwollen immer mehr an und wälzten sich mit ihren wenigen Habseligkeiten über die Landstraßen.

DIE KÄMPFE IM WESTEN

IM SEPTEMBER 1944 hofften die Alliierten, bis zum Jahresende die Reichsgrenze überschritten zu haben. Doch der Fehlschlag des „Unternehmens Market Garden", der Versuch, über die Niederlande ins Deutsche Reich einzumarschieren, hatte zur Folge, dass Europa einen weiteren Kriegswinter erdulden musste. Die Deutschen brachten sogar einen letzten Gegenangriff zuwege, die Ardennenoffensive, die letztlich scheiterte.

Unternehmen Market Garden
Das von dem britischen Feldmarschall Montgomery geplante und im September 1944 begonnene „Unternehmen Market Garden" sah den Absprung von Fallschirmtruppen vor, um einige taktisch wichtige Brücken zu besetzen. Alliierte Panzerverbände sollten mit ihnen Verbindung herstellen. Doch das Unternehmen scheiterte: Das wichtigste Angriffsziel, die Rheinbrücke bei Arnheim, wurde verfehlt.

Luftlandung
Tausende Soldaten britischer und amerikanischer Luftlandetruppen waren am „Unternehmen Market Garden" beteiligt. Die in Massen über den Niederlanden abspringenden Fallschirmjäger boten einen beeindruckenden Anblick. Einmal am Boden angelangt, befanden sich die Luftlandetruppen jedoch im Nachteil, denn ihnen fehlten für den Kampf schweres Geschütz und Transportmöglichkeiten.

Fallschirmjäger bei Arnheim
Die britischen Fallschirmjäger sollten die Rheinbrücke bei Arnheim besetzen. Sie stießen auf massive deutsche Abwehr und erlitten schwere Verluste bei Straßenkämpfen in der Stadt selbst. Schließlich flohen die Überlebenden oder ergaben sich. Insgesamt starben bei der Aktion etwa 30 000 Menschen. Die Deutschen stoppten alle Lieferungen in die Niederlande, wodurch im darauffolgenden Winter mehr als 18 000 niederländische Zivilisten verhungerten.

Die Ardennenoffensive

Um die alliierte Front zu durchbrechen und an die belgische Küste zu gelangen, schickte Hitler seine Panzer durch die Ardennen. Der Angriff auf die überraschten Alliierten schien zunächst Erfolg zu haben, doch die energische Gegenwehr der Alliierten trieb die Deutschen zurück.

Über 1 Million Soldaten waren an der Schlacht in den Ardennen beteiligt, mehr als 150 000 von ihnen kamen um.

Verteidigung Bastognes

Im Zuge der Ardennenoffensive gelang es den Deutschen nicht, die Stadt Bastogne, einen wichtigen Verkehrsknotenpunkt, einzunehmen. Als sie den amerikanischen Kommandeur zur Übergabe aufforderten, erwiderte dieser: „Nuts!" („Unsinn!") Seine Soldaten hielten bei fürchterlichem Winterwetter gegen einen besser gerüsteten Feind durch, bis ihnen eine Panzerdivision zur Hilfe kam.

Alliierte Luftüberlegenheit

Zunächst mussten die alliierten Flugzeuge wegen der schlechten Sichtverhältnisse am Boden bleiben. Doch sobald es aufklarte, griffen die Alliierten mit Raketen an.

Deutsche Panzer kampfunfähig

Die deutschen Panzer rückten rasch vor. Sie mussten jedoch amerikanische Treibstofflager erobern, da auf deutscher Seite in diesem Stadium des Kriegs Kraftstoffmangel herrschte. Die Eroberung der Depots gelang nicht, sodass den Deutschen der Sprit ausging und Hunderte ihrer Panzer vernichtet wurden.

EINMARSCH INS DEUTSCHE REICH

Gipfeltreffen in Jalta
Im Februar 1945 kamen Stalin, Churchill und Roosevelt auf der Krim in Jalta zusammen, um sich über die künftige Besetzung Deutschlands und die Gründung der Organisation der Vereinten Nationen (UNO) zu verständigen.

IM FEBRUAR 1945 hing das Schicksal Deutschlands nur noch von der Gnade seiner Gegner ab, doch Hitler dachte noch immer nicht an Kapitulation. Die alliierten Bomber legten die deutschen Städte in Schutt und Asche. Jegliches Verständnis und Mitgefühl für die Deutschen war dahin, als die alliierten Truppen auf die Beweise für die nationalsozialistischen Massenmorde stießen.

Alliierter Einmarsch 1945

→ Westalliierter Vormarsch
→ Sowjetischer Vormarsch
— Deutscher Frontverlauf, 1. April
--- Deutscher Frontverlauf, 20. April
— Frontverlauf Westalliierte, 7. Mai
— Frontverlauf Rote Armee, 7. Mai

Einmarsch ins Reich von Osten und Westen
Das letzte und größte Hindernis der Alliierten im Westen war der Rhein. Nachdem sie ihn im März 1945 endlich überquert hatten, strömten die alliierten Truppen ins Land. Auch von Italien her drangen sie nordwärts. Die Rote Armee kämpfte sich westwärts vor, verband sich mit den Westalliierten und schloss Berlin ein.

Bombardierung Dresdens
Die Zerstörung des historischen Stadtkerns von Dresden im Februar 1945 durch alliierte Bomber gehört zu den noch heute international umstrittensten Ereignissen des Kriegs. Die Stadt war voller deutscher Flüchtlinge aus dem Osten. Der ausgelöste Feuersturm tötete mindestens 25 000 Menschen.

Afroamerikaner
In Deutschland kämpften viele Afroamerikaner. Die Gefangennahme durch einen Soldaten mit dunkler Hautfarbe empfanden viele deutsche Soldaten als besonders demütigend, hatten die Nazis doch die „rassische" Minderwertigkeit der Schwarzen gelehrt.

Den Sieg über Deutschland, für den er so viel getan hatte, erlebte der amerikanische Präsident Roosevelt nicht mehr. Sein Tod am 12. April 1945 schockierte die Welt. Auf seiner Beerdigung zeigte sich, wie tief man um ihn trauerte. Sein Nachfolger war Harry S. Truman.

Erschütternde Bilder aus Bergen-Belsen

Die Alliierten sahen bei ihrem Vormarsch Entsetzliches in den Konzentrationslagern. Die Befreiung des Lagers Bergen-Belsen mit seinen toten oder sterbenden Gefangenen, viele von ihnen Juden, machte auf die Weltöffentlichkeit einen tiefen Eindruck. Fotos zeigten den ganzen Schrecken der NS-Herrschaft.

Russen treffen auf Amerikaner

Am 25. April 1945 kam es zwischen den von Osten kommenden sowjetischen und den von Westen kommenden amerikanischen Soldaten bei Torgau an der Elbe zu einer freundlichen Begegnung. Wie vereinbart, blieb die Einnahme Berlins der Roten Armee überlassen.

DAS ENDE DER DIKTATUR

IN EUROPA ENDETE der Krieg mit der Schlacht um Berlin, die zu den erbittertsten Kämpfen des Kriegs zählt. Die Rote Armee schloss die Stadt ein und eroberte Straße um Straße. In seinem Bunker im Stadtzentrum in der Falle, zog Hitler den Selbstmord der Gefangennahme vor. Daraufhin ergab sich die Wehrmachtsführung.

Hitlers letzte Tage

Am 20. April 1945 feierte Hitler in seiner Bunker unter der Berliner Reichskanzlei seinen 56. Geburtstag. Er zeigte sich kurz um einige Verteidiger Berlins, darunter Jungen der Hitlerjugend, zu begrüßen. Am 29. April diktierte er seinen letzten Willen. Darin stieß er Hermann Göring ur Heinrich Himmler aus allen Staatsämtern sowie aus der NSDAP aus und machte Gro admiral Dönitz zum Reichspräsidenten unc obersten Befehlshaber der Wehrmacht.

Hitlers Selbstmord

Als sowjetische Soldaten in den Führerbunker eindrangen (siehe Foto), war von Hitler keine Spur mehr übrig. Hitler hatte seine Geliebte Eva Braun am 29. April geheiratet, tags darauf beging das Paar Selbstmord.

Sowjetischer Sieg

Als Hitler Selbstmord begangen hatte, wurde zwar die sowjetische Flagge auf dem Reichstagsgebäude aufgezogen, die Kämpfe gingen aber noch weiter. Die Rote Armee verlor bei der Eroberung Berlins rund 80 000 Mann. Etwa 100 00 – 150 000 deutsche Soldaten und Zivilisten kamen ums Leben. Berlin lag in Trümmern.

*Als Hitler sich erschoss, hatten Deutsche
etwa zwei Drittel der europäischen Juden
ermordet, insgesamt rund 6 Millionen.*

Mussolinis Ende
Mussolini wurde zwei Tage vor Hitlers Tod ermordet.
Seine Leiche wurden mit jenen anderer Faschisten an
einer Mailänder Tankstelle kopfüber aufgehängt.

Kapitulation der Wehrmacht
Nach Hitlers Tod begann die Wehrmachtsführung mit
den Alliierten über eine Kapitulation zu verhandeln. Das
Bild zeigt Admiral von Friedeburg am 4. Mai 1945 bei der
Teilkapitulation auf dem Timeloberg bei Lüneburg vor
Feldmarschall Montgomery. Die Gesamtkapitulation
folgte am 7. und 9. Mai.

Siegesfeiern
Am 8. Mai wurde in London, New York
und anderen Städten der Alliierten der Sieg
in Europa gefeiert, am 9. Mai in Moskau.
Überall jubelte man auf den Straßen, doch
der Krieg mit Japan ging weiter.

„Die nationalsozialistischen Rädelsführer, die sich für die Herrscher der Welt hielten, sind erledigt. Die tödlich verwundete faschistische Bestie tut ihren letzten Atemzug … Der endgültige Sturm auf die Nazi-Höhle hat begonnen."

Der sowjetische Staatschef Josef Stalin, 1. Mai 1945

Am 30. April 1945 setzte die Rote Armee zum Sturm auf das Reichstagsgebäude an.

DER KRIEG IN JAPAN

MIT DEM NÄHERRÜCKEN der amerikanischen Truppen wuchs der japanische Widerstand. Doch da Amerika immer mehr Soldaten, Schiffe und Flugzeuge in den Kampf schicken konnte, geriet Japan in eine aussichtslose Lage. Doch trotz der sicheren Niederlage verlangten viele japanische Regierungsvertreter die Fortsetzung des Kampfes bis zum bitteren Ende. Die Amerikaner planten für November 1945 die Invasion der japanischen Inseln, um den Krieg zu beenden.

Landung auf Iwo Jima
Die Kämpfe um die kleine Vulkaninsel Iwo Jima bewiesen, dass ein Sieg über Japan nur mit vielen Opfern zu erreichen war. Amerikanische Marineinfanterie landete am 19. Februar 1945 und setzte erstmals Napalm ein. In den Gefechten der folgenden fünf Wochen starben 22 000 Japaner und fast 7000 Amerikaner.

BALLONATTACKEN

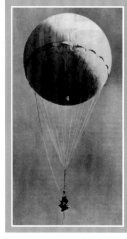

Im Herbst 1944 ließen die Japaner 9000 Ballonbomben aufsteigen, die über den Pazifik auf die USA zutrieben. Unter den Ballons hingen Sprengkörper, etwa 1000 erreichten die US-Küste. Nur einer führte zu Verlusten: Eine Frau und fünf Kinder kamen ums Leben. Sie waren die einzigen Menschen auf dem amerikanischen Festland, die durch Kampfhandlungen ums Leben kamen.

Schlacht um Okinawa
Von April–Juni 1945 tobte eine furchtbare Schlacht um die Insel Okinawa, die die Amerikaner als Sprungbrett für eine Landung auf den japanischen Inseln nutzen wollten. Zu Land, zu Wasser und in der Luft wurde erbittert gekämpft. Der Einsatz von Flammenwerfern gegen Japaner, die in Felsenlöchern in Stellung gegangen waren, gehörte zum Schrecklichsten in den Kämpfen.

Kamikaze-Angriffe

Zur Landung auf Okinawa hatten die Alliierten eine riesige Flotte zusammengezogen. Sie sah sich den selbstmörderischen Angriffen von Kamikaze-Fliegern ausgesetzt. Mehr als 30 Schiffe gingen dabei verloren.

Selbstmörder-Lenkbombe

Die Japaner bauten eine bemannte Bombe, die „Öka" (Kirschblüte). Ein Schlepperflugzeug brachte sie in die Luft. Nach dem Ausklinken lenkte der Selbstmörder-Pilot die Bombe ins Ziel.

Die Leiden der Zivilbevölkerung

Bei der Schlacht um Okinawa kamen etwa 150 000 Inselbewohner ums Leben, zudem fielen mehr als 90 000 japanische Soldaten. Die Verluste der Amerikaner überstiegen 12 000 Mann. Okinawa ließ ahnen, was bei einer amerikanischen Invasion der japanischen Inseln zu erwarten war.

Brandbomben auf Tokio

Im Frühjahr 1945 flogen die Amerikaner Großangriffe auf japanische Städte und warfen Brandbomben ab. Da die meisten japanischen Häuser aus Holz waren, breiteten sich die Brände rasend schnell aus. Im März 1945 vernichtete ein Feuersturm einen großen Teil Tokios. Dabei kamen 100 000 Menschen ums Leben.

Mit der Eroberung der beiden Inseln Iwo Jima und
Okinawa war der Pazifikkrieg beendet. Dieses
Foto von der Erstürmung des Mount Suribachi auf
Iwo Jima hatte eine starke symbolische Bedeutung.

DIE ATOMBOMBE

IM SOMMER 1945 stand fest, dass Japan den Krieg verloren hatte. Die Städte waren nach Luftangriffen weitgehend vernichtet, infolge einer Seeblockade hungerte die Bevölkerung, die Streitkräfte hatten dem Feind nur wenig entgegenzusetzen. Dennoch kämpften die Japaner weiter. Um Japan zur Aufgabe zu zwingen, bereiteten die Amerikaner den Einsatz einer furchtbaren neuen Waffe vor: der Atombombe.

Gegen Kriegsende wurden viele 14-jährige japanische Kinder zum Militär eingezogen.

DAS MANHATTAN-PROJEKT

Bei Kriegsbeginn wusste man bereits, dass durch Freisetzung der in Atomen gespeicherten Energie gewaltige Explosionen ausgelöst werden können. Die Amerikaner begannen mit dem geheimen Manhattan-Projekt, in dem eine Atombombe gebaut werden sollte. Die Bombe wurde nicht rechtzeitig fertig, um noch gegen Deutschland eingesetzt zu werden, doch im Juli 1945 wurde ein atomarer Sprengkörper bei Los Alamos in New Mexico getestet.

Not und Elend der Japaner

Die Japaner litten nicht nur unter den alliierten Luftangriffen, sie hatten auch nichts zu essen und nichts, um ihre Fahrzeuge und Maschinen zu betreiben. Eine alliierte Seeblockade hinderte sie an der Einfuhr von Reis und Erdöl. Trotzdem standen sie weiterhin hinter den Kriegsanstrengungen ihrer Regierung. 12-jährige Kinder absolvierten in den Städten 12-Stunden-Schichten als Brandwachen und arbeiteten sogar in der Waffenproduktion.

Erste atomare Explosion

Am 16. Juli 1945 führten Wissenschaftler in der Wüste von New Mexico einen Atombombentest durch. Die Sprengkraft der Plutoniumwaffe war noch größer als erwartet. Das Foto rechts entstand 16 Millisekunden nach der Explosion. US-Präsident Truman ließ Stalin auf der Konferenz in Potsdam wissen, er verfüge über eine neue Bombe von extremer Wirkung. Doch das hatte dieser schon von seinen Spionen im Manhattan-Projekt, u. a. dem deutschen Physiker Klaus Fuchs, erfahren.

Treffen in Potsdam

Im Juli 1945, als sich die alliierten Führer in Potsdam trafen, war Truman schon Präsident der USA. Der britische Premierminister Churchill wurde während der Konferenz von Clement Attlee abgelöst. Die Beziehungen zwischen den Westmächten und der Sowjetunion waren schlecht, aber Stalin versprach, in den Krieg gegen Japan einzutreten.

Kaiser Hirohito

Im Sommer 1945 wollte der japanische Kaiser Hirohito mit den Amerikanern einen Frieden aushandeln, die aber verlangten die bedingungslose Kapitulation. Einige Diplomaten fanden, die USA sollten wenigstens anbieten, im Falle einer japanischen Kapitulation den Kaiser auf seinem Thron zu belassen, doch die Amerikaner wollten sich auf keinerlei Zugeständnisse einlassen.

Potsdamer Erklärung

Während der Potsdamer Konferenz richteten Truman und seine Verbündeten eine Warnung an Japan. Sie drohten mit „sofortiger und völliger Vernichtung", falls das Land nicht bedingungslos kapituliere. Die Japaner lehnten ab. Obwohl das Land ohnehin unmittelbar vor dem Zusammenbruch stand, folgte der Abwurf der Atombomben.

JAPAN KAPITULIERT

IM AUGUST 1945 hatte Japan noch immer nicht kapituliert, zeigte sich jedoch verhandlungsbereit. Dann warfen die Amerikaner Atombomben auf Hiroshima und Nagasaki. Am 8. August erklärten die Sowjets Japan den Krieg und marschierten in die japanisch besetzte Mandschurei und Nordkorea ein. Am 10. August boten die Japaner ihre Kapitulation unter der Bedingung an, dass der Kaiserthron nicht angetastet würde. Kaiser Hirohito riet seinen Landsleuten, „das Unerträgliche zu ertragen". Am 14. August fügte Japan sich in die Niederlage.

Enola Gay
Die Besatzung der *Enola Gay*, eines Bombers vom Typ Boeing B-29, beförderte unter Leitung von Paul Tibbets die erste Atombombe von der Pazifikinsel Tinian aus zu ihrem Ziel. Bei klarem Himmel legte sie 2400 km zurück und warf die Bombe am Morgen des 6. August um 8.15 Uhr über Hiroshima ab.

Vernichtung Hiroshimas
Die Zerstörung Hiroshimas übertraf alles bisher Dagewesene. In weniger als einer Sekunde töteten Blitz und Hitze der Explosion Tausende Menschen. Viele weitere fielen dem Feuersturm zum Opfer. Abertausende siechten langsam an den Folgen der Kernstrahlung dahin. Bis Ende 1945 starben rund 140 000 Menschen.

Die zweite Bombe
Als Ziel der zweiten Atombombe am 9. August war eigentlich Kokuras vorgesehen. Die Amerikaner fanden die Stadt wegen schlechten Wetters aber nicht und warfen die Bombe daher über Nagasaki ab. Das Stadtgebiet war hügelig, sodass manche Viertel vor Hitzestrahlung und Druckwelle geschützt blieben. Die Zahl der Todesopfer betrug mindestens 60 000.

Entsetzen bei Kapitulation
Kaiser Hirohito verkündete die Kapitulation im Rundfunk. Offiziere versuchten vergeblich, die Übertragung zu verhindern. Der Kaiser erklärte seinem Volk, „die Kriegslage hat sich nicht unbedingt zu Japans Gunsten entwickelt". Vor Entsetzen über die Kapitulation brachen viele Japaner in Tränen aus.

Die US-Militärs nannten die Atombombe von Hiroshima verniedlichend „Little Boy" (Kleiner Junge), die von Nagasaki „Fat Man" (Dicker Mann).

Siegesfeiern
Der Sieg über Japan wurde mit noch größerer Freude gefeiert. Nun war der Krieg wirklich beendet. Besonders erfreut waren die Soldaten, denen der Einmarsch in Japan erspart geblieben war. Der Jubel wurde jedoch überschattet durch den Schock der Menschen in den alliierten Ländern über die fürchterliche Vernichtungskraft der Atombomben. Vielen wurde klar, dass ihnen eines Tages das gleiche Schicksal wie Hiroshima und Nagasaki bevorstehen könnte.

Förmliche Kapitulation
Am 2. September 1945 wurde an Bord des Schlachtschiffs *Missouri* die offizielle Kapitulationsurkunde unterzeichnet. Einige versprengte japanische Soldaten erfuhren erst viel später davon und führten in den Dschungeln Südostasiens noch lange Krieg.

STIMMEN ZU HIROSHIMA

Die Bewohner Hiroshimas und Nagasakis sind bislang die einzigen Menschen, die einen Angriff mit Kernwaffen erlebt haben. Als am 6. August 1945 die erste Atombombe auf Hiroshima fiel, waren die Opfer ahnungslos.

„Ein Flugzeug, hübsch wie silbernes Geschmeide, flog … am Himmel. Ich verfolgte es einen Moment. Irgendwo war eine Stimme: ‚Da, seht mal … ein Fallschirm!' Ich blickte in die angegebene Richtung. Da passierte es. Als ich zum Himmel blickte, explodierte er mit einem unbeschreiblichen Lichtblitz. Ich wurde zu Boden geworfen, etwas regnete mir auf Kopf und Nacken. Alles war pechschwarz … Ich versuchte, die Holzstückchen und Dachziegelbrocken abzuschütteln. Als ich mich schließlich freigekämpft hatte, war da ein fürchterlicher Geruch. Mit einem Handtuch, das ich um die Hüften gewunden trug, rieb ich mir Gesicht und Nase ab. Meine gesamte Haut an Gesicht und Händen pellte ab und hing seltsam herab … Bis vor einem Augenblick war es noch ein schöner, heller Morgen. Was mochte geschehen sein? Nun lagen wir unter einer dünnen Decke der Düsternis, als ob es dunkelte."

Die 33-jährige Futaba Kitayama wohnte in Hiroshima. Sie arbeitete knapp 2 km von der Stelle entfernt, über der die Bombe explodierte.

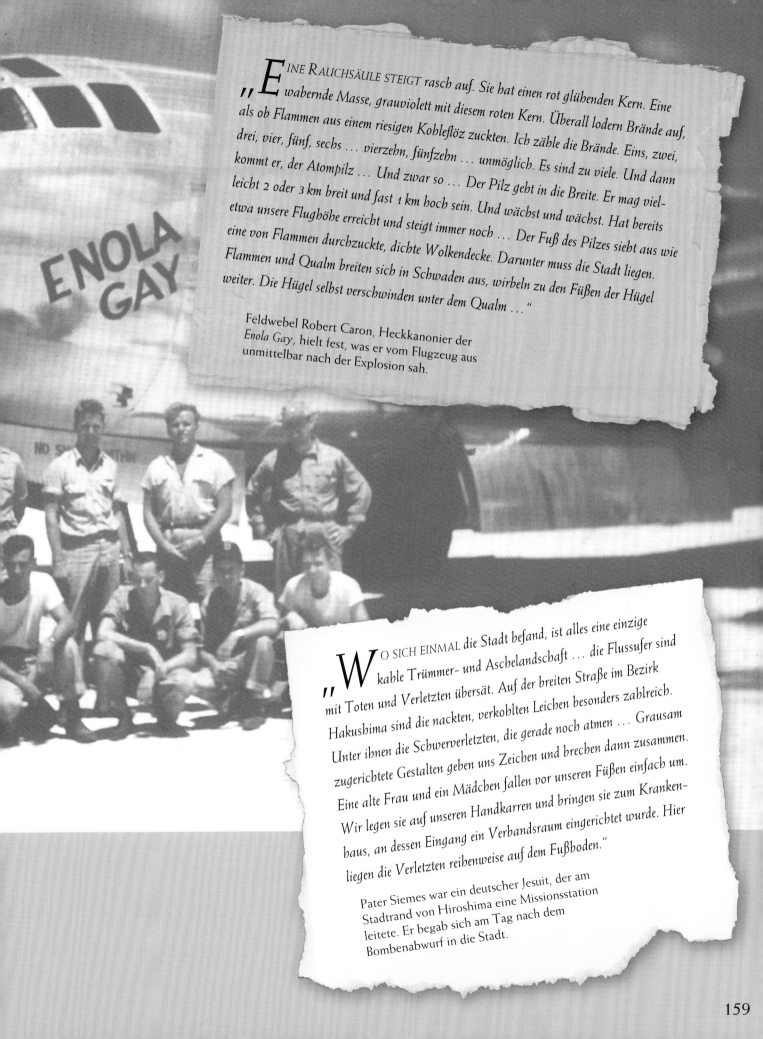

„EINE RAUCHSÄULE STEIGT rasch auf. Sie hat einen rot glühenden Kern. Eine wabernde Masse, grauviolett mit diesem roten Kern. Überall lodern Brände auf, als ob Flammen aus einem riesigen Kohleflöz zuckten. Ich zähle die Brände. Eins, zwei, drei, vier, fünf, sechs … vierzehn, fünfzehn … unmöglich. Es sind zu viele. Und dann kommt er, der Atompilz … Und zwar so … Der Pilz geht in die Breite. Er mag vielleicht 2 oder 3 km breit und fast 1 km hoch sein. Und wächst und wächst. Hat bereits etwa unsere Flughöhe erreicht und steigt immer noch … Der Fuß des Pilzes sieht aus wie eine von Flammen durchzuckte, dichte Wolkendecke. Darunter muss die Stadt liegen. Flammen und Qualm breiten sich in Schwaden aus, wirbeln zu den Füßen der Hügel weiter. Die Hügel selbst verschwinden unter dem Qualm …"

Feldwebel Robert Caron, Heckkanonier der
Enola Gay, hielt fest, was er vom Flugzeug aus
unmittelbar nach der Explosion sah.

„WO SICH EINMAL die Stadt befand, ist alles eine einzige kable Trümmer- und Aschelandschaft … die Flussufer sind mit Toten und Verletzten übersät. Auf der breiten Straße im Bezirk Hakushima sind die nackten, verkohlten Leichen besonders zahlreich. Unter ihnen die Schwerverletzten, die gerade noch atmen … Grausam zugerichtete Gestalten geben uns Zeichen und brechen dann zusammen. Eine alte Frau und ein Mädchen fallen vor unseren Füßen einfach um. Wir legen sie auf unseren Handkarren und bringen sie zum Kranken-haus, an dessen Eingang ein Verbandsraum eingerichtet wurde. Hier liegen die Verletzten reihenweise auf dem Fußboden."

Pater Siemes war ein deutscher Jesuit, der am
Stadtrand von Hiroshima eine Missionsstation
leitete. Er begab sich am Tag nach dem
Bombenabwurf in die Stadt.

Die unvorstellbare Gewalt der Atombombe legte die japanische Stadt Hiroshima in Schutt und Asche.

„Vor sechzehn Stunden hat ein amerikanisches Flugzeug eine Bombe auf Hiroshima abgeworfen … Es ist eine Atombombe … Die elementare Gewalt des Universums wurde entfesselt gegen jene, die den Fernen Osten mit Krieg überzogen haben … Wenn sie unsere Bedingungen nicht akzeptieren, dann sollen sie einen Regen der Zerstörung aus der Luft erwarten."

US-Präsident Truman am 7. August 1945

NACH DEM KRIEG

NACH DEM ZWEITEN WELTKRIEG waren Deutschland und Japan von den Alliierten besetzt. Doch der Frieden erwies sich als schwierig. Die Alliierten gerieten bald in Streit, die USA und die Sowjetunion begannen, im sogenannten Kalten Krieg riesige Bestände an Atomwaffen zu produzieren. Das Bestreben asiatischer und afrikanischer Völker, die Kolonialherrschaft z. B. der Briten abzuschütteln, schuf weitere Konflikte. Am Ende des Jahrtausends erfüllten sich zumindest einige Hoffnungen auf Freiheit, Demokratie und Wohlstand.

Trauer um die Getöteten
Am Grab eines unbekannten britischen Soldaten, gefallen bei Monte Cassino, legen Frauen und Mädchen Blumen nieder.

---

5. Juni
Übernahme der obersten Regierungsgewalt in Deutschland durch die Alliierten USA, UdSSR, GB und Frankreich

26. Juni
Unterzeichnung der Charta der Vereinten Nationen (UNO) durch 51 Länder

März
In Griechenland Beginn des Bürgerkriegs zwischen kommunistischen Partisanen und den von GB unterstützten Regierungstruppen

15. August
Indien und Pakistan werden von englischer Herrschaft unabhängig.

25. Februar
In der Tschechoslowakei übernimmt die kommunistische Partei die Regierungsgewalt.

4. April
Durch Abschluss des Nordatlantikpakts entsteht die NATO.

23. Mai
Gründung der Bundesrepublik Deutschland (BRD) auf dem Gebiet der amerikanischen, der britischen und der französischen Besatzungszone

25. Juni
Die kommunistischen Nordkoreaner marschieren in Südkorea ein.

11. Mai
Deutsches Entnazifizierungsschlussgesetz

28. April
Die Amerikaner beenden die militärische Besetzung Japans.

27. Februar
Londoner Schuldenabkommen zur Regelung der deutschen Auslandsschulden

1945	1946	1947	1948	1949	1950	1951	1952	1953

20. November
Beginn der Nürnberger Prozesse (bis 1949)

30. August
Ein Alliierter Kontrollrat wird zur Regierung Deutschlands eingesetzt.

12. März
US-Präsident Truman verkündet die „Truman-Doktrin", wonach sich der Westen durch „Freiheit" und die Sowjetunion durch „Totalitarismus" und Unfreiheit auszeichnet, die es zu bekämpfen gilt. Beginn des Kalten Kriegs.

5. März
Churchill weist in einer Rede in den USA auf die vollzogene Teilung Europas durch einen „eisernen Vorhang" hin.

24. Juni
UdSSR verhängt eine Blockade Berlins, nachdem in den Westzonen am 20., in den Westsektoren am 24. Juni eine eigene Währungsreform durchgeführt wurde.

14. Mai
Gründung des Staates Israel, dessen Gebiet vorher unter britischem Mandat war

7. Oktober
Gründung der Deutschen Demokratischen Republik (DDR) auf dem Gebiet der sowjetischen Besatzungszone

25. Oktober
Chinesische Truppen greifen in Korea ein, es kommt zu Zusammenstößen mit UN-Truppen.

10. September
Luxemburger Abkommen zwischen der BRD, Israel und der Jewish Claims Conference.

1. November
Die Vereinigten Staaten testen die erste Wasserstoffbombe.

27. Ju
Ende de Koreakri

5. März
Josef Stalin, Diktator der Sowjetunion, stirbt.

9. Mai
Die BRD tritt der
NATO bei.

25. März
Sechs europäische
Länder bilden den
Gemeinsamen Markt,
Vorläufer der Euro-
päischen Union.

10. Mai
Pariser Friedensgespräche zwischen
Averell Harriman, dem US-Delegati-
onschef, und dem nordvietnamesischen
Außenminister Xuan Thuy beginnen.

3. September
Viermächteabkommen
der Besatzungsmächte
über Berlin

3. Oktober
Auf Grundlage
des Einigungs-
vertrags löst
die DDR sich
auf und tritt der
BRD bei (deut-
sche Wieder-
vereinigung).

3. Oktober
ondoner Akte/
unmächtekon-
enz ermöglicht
RD Beitritt zur
TO. Aufhebung
s Besatzungs-
statuts

14. Mai
Als Reaktion auf die
NATO unterzeichnen
die kommunistischen
Staaten Mittel- und
Osteuropas den
Warschauer Pakt.

13. August
Mit dem Bau der
Berliner Mauer wird das
sozialistisch beherrschte
Ost-Berlin vom Westteil
der Stadt abgetrennt.

22. Januar
Deutsch-französischer
Freundschaftsvertrag

20. August
UdSSR und Verbündete
marschieren in die Tschechoslowakei ein und beenden
demokratische Reformen.

12. August
Moskauer Vertrag zwischen
BRD und UdSSR

12. Dezember
NATO-Doppel-
beschluss über die
Aufstellung von
Mittelstrecken-
raketen in Europa
ab 1983

| 1954 | 1955 | 1956 | 1957 | 1960 | 1961 | 1962 | 1963 | 1965 | 1968 | 1970 | 1971 | 1972 | 1979 | 1989 | 1990 |

11. April
In Jerusalem beginnt
der Prozess gegen Adolf
Eichmann, einen der Haupt-
verantwortlichen für die
Deportation und Ermordung
von Juden (1962 gehenkt).

16.–18. Oktober
Kubakrise: USA
und UdSSR beginnen
fast einen neuen,
atomaren Weltkrieg.

30. Mai
Deutsche Not-
standsgesetze,
die u.a. den
Kriegsfall regeln.
In der Zeit darauf
Protest der Außer-
parlamentarischen
Opposition
(APO) und
der Studenten-
bewegung

21. Dezember
Grundlagenvertrag
zwischen BRD
und DDR

Ab 7. Oktober
Die letzten deutschen
Kriegsgefangenen
kehren aus der
Sowjetunion zurück.

15. Mai
Unterzeichnung des
Österreichischen
Staatsvertrags
Friedensvertrag nach
dem Zweiten Welt-
rieg), Aufhebung der
ier Besatzungszonen
der Alliierten

4. November
Ein antikommunistischer Volksaufstand
in Ungarn wird von der sowjetischen
Armee niedergeschlagen.

8. März
USA schickt
Kampftruppen
nach Vietnam.

7. Dezember
Warschauer Vertrag
zwischen BRD und Polen.
Kniefall von Kanzler Willy
Brandt vor dem Mahnmal
des jüdischen Ghettos in
Warschau als Geste der
Versöhnungsbereitschaft

9. November
Die Öffnung der
Berliner Grenz-
sperranlagen
signalisiert Sturz
des Kommunismus
in Osteuropa.

TOD
ZERSTÖRUNG
MANGEL

DER ZWEITE WELTKRIEG forderte unvorstellbar viele Menschenleben. Weltweit kamen in seinem Verlauf zwischen 50 und 70 Mio. Menschen ums Leben. Auch die Regierungen der Siegermächte standen vor der gewaltigen Aufgabe des Wiederaufbaus. Millionen Menschen, deren Lebensplanung durch den Krieg zunichte gemacht worden war, versuchten einen Neuanfang.

Es fehlte an allem
Wie in vielen Weltregionen, so mangelte es auch im größten Teil Europas an Nahrungsmitteln. In Großbritannien gab es noch weniger Brennstoff als während des Kriegs. Gleichzeitig mussten die Briten zur Versorgung der Deutschen in der britischen Besatzungszone Lebensmittel und Brennstoffe verfügbar machen.

Wohnraum zerstört
Wo Bomben und Granaten die Städte zerstört hatten, waren viele Menschen ohne Wohnung. Der Wiederaufbau dauerte Jahre. Bis dahin hausten viele in den Kellern zerstörter Gebäude oder in Notunterkünften mitten in den Trümmern.

Flüchtlinge
Dutzende Millionen Menschen waren bei Kriegsende heimatlose Flüchtlinge. In Europa zählten dazu auch die überlebenden Juden aus verschiedenen Ländern und die aus Osteuropa vertriebenen Deutschen. Die Vertriebenen mussten, wie hier in Berlin, oft jahrelang in Flüchtlingslagern hausen.

Jüdischer Exodus

Viele Flüchtlinge fanden außerhalb Europas eine neue Heimat. Zahllose überlebende Juden zog es ins britische Mandatsgebiet Palästina. Um dort die stabile Situation zwischen Juden und Arabern zu erhalten und seine Vormachtstellung zu wahren, verweigerte ihnen Großbritannien 1947 die Einreise. Die 4500 jüdischen Flüchtlinge an Bord der *Exodus* wurden abgewiesen und zurück nach Frankreich geschickt.

Heimkehrer

Die Soldaten freuten sich über die Rückkehr zu ihren Familien, doch es war schwierig für sie, sich wieder einzuleben. Die Angehörigen mussten sich wieder aneinander gewöhnen. Viele Heimkehrer waren verstümmelt und behindert. Die meisten konnten die Grausamkeiten des Kriegs nur schwer hinter sich lassen und litten zeit ihres Lebens darunter.

Vor Kriegsende und in der ersten Nachkriegszeit wurden mehr als 13 Millionen Deutsche zu Flüchtlingen und Vertriebenen.

Wohlstand in den USA

In Amerika war die Lage ganz anders als in Europa und Asien. Die USA hatten auf dem Festland keinerlei Schäden erlitten, ihre Wirtschaft hatte während des Kriegs einen enormen Aufschwung erlebt. Die heimkehrenden Soldaten bekamen Geld vom Staat, sodass sie studieren oder sich ein Haus kaufen konnten.

KRIEGSTOTE

Genau wird sich die Zahl der Kriegstoten wohl nie ermitteln lassen. Die meisten Opfer zu beklagen hatte vermutlich die Sowjetunion mit etwa 25 Mio. zivilen und militärischen Opfern. Es folgt China mit rund 20 Mio. Toten. Etwa 400 000 amerikanische Soldaten kamen um. Deutschland verlor 7 Mio. Menschen, darunter 2 Mio. Zivilisten, Japan ungefähr 2,7 Mio. Aus Italien, Frankreich und Großbritannien starben je etwa 1,5 Mio. Menschen.

DIE BEHANDLUNG DER BESIEGTEN

ALS DRINGENDSTES NACHKRIEGSPROBLEM erwies sich die Besatzungspolitik in Deutschland und Japan. In beiden Ländern kam es zu keinem bewaffneten Widerstand gegen die Besatzung, da die Menschen genug damit zu tun hatten zu überleben. Die Alliierten stellten deutsche und japanische Kriegsverbrecher vor Gericht und entfernten einen Teil der NS-Parteileute aus ihren Ämtern. Erst im Lauf von mehreren Jahren gestanden die Besatzungsmächte den besiegten Ländern wieder eigene Regierungen zu.

Militärische Besetzung
Deutschland wurde in eine amerikanische, eine britische, eine sowjetische und eine französische Besatzungszone aufgeteilt. Berlin gliederte sich ebenfalls in vier Sektoren. Doch bald herrschte Uneinigkeit zwischen der Sowjetunion und den übrigen Besatzungsmächten.

Die Stunde null
Die Deutschen nannten die unmittelbare Zeit nach dem 8. Mai 1945 die „Stunde null". Sie hausten in Ruinen, hatten kaum Nahrung oder Brennmaterial. Millionen bemühten sich, Klarheit über das Schicksal ihrer vermissten Angehörigen zu erhalten. In den zerbombten Städten waren die „Trümmerfrauen" damit beschäftigt, den Schutt mit bloßen Händen zu beseitigen.

Deutsche Kriegsgefangene
Über 10 Mio. deutsche Soldaten waren bei Kriegsende in Kriegsgefangenenlagern, wie hier in Norwegen. In den sowjetischen Lagern starben viele an Hunger, Kälte und Erschöpfung durch Zwangsarbeit. In den Lagern der Westmächte war die Überlebenschance etwas besser, trotzdem kamen auch dort Tausende ums Leben.

Nürnberger Prozesse
24 NS-Hauptkriegsverbrechern wurde vom Internationalen Militärgerichtshof in Nürnberg der Prozess gemacht. 12 von ihnen wurden zum Tod durch den Strang verurteilt, bei 11 von ihnen wurde es vollstreckt. Hermann Göring tötete sich vor der Hinrichtung selbst. Es folgten 12 weitere Prozesse vor einem US-Militärgerichtshof, die bis 1949 dauerten.

Vichy-Führung belangt
Der Chef der Vichy-Regierung, Marschall Philippe Pétain, und sein Ministerpräsident Pierre Laval wurden beide vor ein französisches Gericht gestellt. Die Gerichtsszene zeigt Pétain im Sessel, stehend Pierre Laval. Beide wurden zum Tod verurteilt, Pétain begnadigte man jedoch zu lebenslanger Haft.

Eine große Zahl Nazis entkam nach der deutschen Niederlage nach Südamerika und wurde wegen ihrer Verbrechen niemals belangt.

Japan unter MacArthur
General Douglas MacArthur, Chef der amerikanischen Besatzungstruppen in Japan, versuchte im Land eine demokratische Regierung aufzubauen. Wie in Deutschland wurden dort Kriegsverbrecher abgeurteilt, auch General Hideki Tojo. Allerdings wurde den um einen Neuanfang bemühten Japanern wenig Hilfe zuteil.

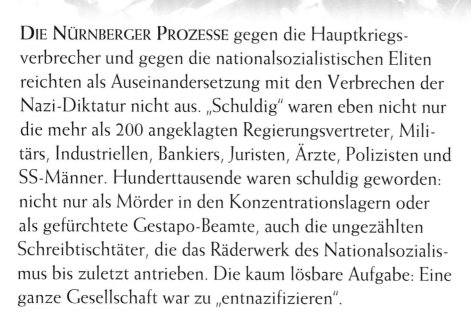

TÄTER VOR GERICHT

DIE NÜRNBERGER PROZESSE gegen die Hauptkriegsverbrecher und gegen die nationalsozialistischen Eliten
reichten als Auseinandersetzung mit den Verbrechen der
Nazi-Diktatur nicht aus. „Schuldig" waren eben nicht nur
die mehr als 200 angeklagten Regierungsvertreter, Mili-
tärs, Industriellen, Bankiers, Juristen, Ärzte, Polizisten und
SS-Männer. Hunderttausende waren schuldig geworden:
nicht nur als Mörder in den Konzentrationslagern oder
als gefürchtete Gestapo-Beamte, auch die ungezählten
Schreibtischtäter, die das Räderwerk des Nationalsozialismus bis zuletzt antrieben. Die kaum lösbare Aufgabe: Eine
ganze Gesellschaft war zu „entnazifizieren".

Angeklagt als Hauptkriegsverbrecher

Der britische Premierminister
Churchill konnte sich eine Zeit
lang vorstellen, eine Gruppe von
50–100 Haupttätern zu „Outlaws"
zu erklären und einfach erschießen
zu lassen. Doch sie wurden vor
Gericht gestellt. Am 20. November 1945 begann im Nürnberger
Justizpalast die erste Sitzung des
internationalen Militärtribunals.
In diesem ersten Prozess waren
24 hochrangige Vertreter des NS-
Regimes angeklagt. Alle erklärten,
sie seien nicht schuldig.

KZ-Aufseher unter Anklage

Was waren das für Menschen, die auf der
Anklagebank saßen: Bestien oder „normale
Deutsche"? Der Prozess gegen die Wachmannschaften des KZs Neuengamme fand
vom 18. März bis zum 13. Mai 1946 in
Hamburg statt. Dabei standen 14 leitende
SS-Offiziere und Aufseher unter Anklage.
Das Ergebnis: 11 Todesurteile, die am
8. Oktober 1946 im Zuchthaus Hameln
durch Erhängen vollstreckt wurden, und
drei lange Haftstrafen.

Entnazifizierung per Fragebogen

In der amerikanischen Zone wurden
13 Mio. Fragebögen verteilt. Man
wollte herausfinden, inwieweit jeder
Einzelne schuldig an den NS-Verbre-
chen war. Schon 1946 übernahmen
deutsche „Spruchkammern" die Verfahren. Am Ende gab es nur wenige Schul-
dige. Das Foto zeigt die Schlangen bei
der Abgabe der Fragebögen bei einem
Polizeirevier Mitte 1946.

Auf dem Weg zur Demokratie

Eine demokratische Ordnung in
Deutschland aufzubauen, war nicht
einfach. Wie z. B. waren neue Werte
zu vermitteln, wenn gleichzeitig
bis zu 75 % der Lehrer als national-
sozialistisch belastet galten und aus
dem Dienst entfernt worden waren.
Die amerikanische Militärregierung
hielt daher einen Prozess der „Um-
erziehung" der Deutschen für notwendig, um aus Parteigängern des
Nationalsozialismus überzeugte
Demokraten zu machen. Auch das
Umbenennen von Straßen war
ein deutlicher Schritt.

Generalstreiks und Hungerproteste

1946 reichten die Lebensmittelrationen in der britischen
Zone kaum zum Überleben. Im Frühjahr 1947 verschärfte
sich die Lage abermals. In den Industrieregionen kam es
zu Massenstreiks und Hungermärschen. Den Umgang
der Briten mit ehemaligen Nazis sahen viele als zu nach-
sichtig an und forderten: „Restlose Entnazifizierung!"

„Wir müssen den Deutschen klarmachen, dass ihre Führer nicht angeklagt sind, weil sie den Krieg verloren, sondern weil sie ihn begonnen haben."

Robert H. Jackson, amerikanischer Chefankläger beim Nürnberger Prozess gegen die Hauptkriegsverbrecher

Der Nürnberger Prozess gegen die NS-Hauptkriegsverbrecher zog sich vom 20. November 1945 bis zum 1. Oktober 1946 hin.

DIE KRIEGSALLIANZ ZERBRICHT

Bei Kriegsende hofften die Menschen auf eine weitere friedliche Zusammenarbeit der Alliierten, doch diese Hoffnung verflog bald. Zwischen den Westalliierten und der Sowjetunion bestanden grundsätzliche Meinungsverschiedenheiten. Schon bald war Europa geteilt in östliche Länder unter sowjetischer Herrschaft und westliche Länder, die meist mit den USA verbündet waren. Zu beiden Seiten des „Eisernen Vorhangs" standen die Lager einander mit großen Truppenmassierungen gegenüber.

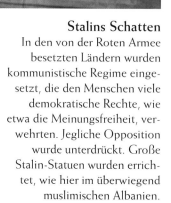

Stalins Schatten
In den von der Roten Armee besetzten Ländern wurden kommunistische Regime eingesetzt, die den Menschen viele demokratische Rechte, wie etwa die Meinungsfreiheit, verwehrten. Jegliche Opposition wurde unterdrückt. Große Stalin-Statuen wurden errichtet, wie hier im überwiegend muslimischen Albanien.

Gründung der Vereinten Nationen
Die 1945 gegründeten Vereinten Nationen (UNO) sollten eine größere, bessere Variante des Völkerbunds der Vorkriegszeit sein. Von den wichtigsten Kriegsalliierten als ständigen Mitgliedern des UN-Sicherheitsrats erwartete man eine friedliche Zusammenarbeit. Doch gelang die Wahrung des Weltfriedens nicht.

Der Eiserne Vorhang
Winston Churchill war der erste Politiker, der nach dem Krieg das Zerwürfnis mit der Sowjetunion öffentlich ansprach. Bei einer Rede in Fulton sagte er im März 1946, Europa werde durch einen „eisernen Vorhang" zwischen Ost und West geteilt.

Griechischer Bürgerkrieg

In mehreren westlichen Ländern – darunter Frankreich,
Italien und Griechenland – erzielten kommunistische
Parteien beachtliche Wahlerfolge. Die griechischen
Kommunisten führten einen Partisanenkrieg gegen
ihre westlich orientierte Regierung, wurden aber 1949
besiegt. Inzwischen hatten auch die italienischen und
französischen kommunistischen Parteien bei freien
Wahlen verloren.

GRÜNDUNG DER NATO

Der Nordatlantikpakt (NATO) wurde 1949 geschlossen und ver-
pflichtete die USA zur Verteidigung Westeuropas. Daher wurden
amerikanische Truppen dauerhaft in Europa stationiert. Auf die
Sowjetunion gerichtete amerikanische Atomwaffen wurden in
Stellung gebracht, um jederzeit für einen sowjetischen Angriff
auf ein westeuropäisches Land gerüstet zu sein. Gleichzeitig ließ
Amerika Westeuropa erhebliche Wirtschaftshilfen zukommen.

Nachkriegseuropa

Die europäischen Grenzen deckten sich weitgehend
wieder mit jenen der Dreißigerjahre. Polen verschob sich
zulasten Deutschlands nach Westen, gab aber im Osten
Gebiete an die Sowjetunion ab, die auch die baltischen
Staaten in sich aufnahm. Aus den westlichen Besatzungszonen wurde die BRD, aus der sowjetischen Besatzungszone die DDR. Der Eiserne Vorhang verlief mitten durch
Deutschland.

Berliner Luftbrücke

Die unterschwellige Feindseligkeit zwischen der Sowjetunion und
den Westmächten kam an verschiedenen Punkten zum Vorschein. So
hatten die Westmächte im Juni 1948 in „ihren" Zonen eine separate
Währungsreform durchgeführt, die der sowjetisch besetzten Zone
eine starke Geldentwertung zu bescheren drohte. Unter anderem aus
diesem Grund blockierten die Sowjets die Versorgung West-Berlins
mit Brennstoffen und Nahrungsmitteln. Die Amerikaner organisierten
bei britischer Beteiligung eine Luftbrücke und flogen alles ein, was
die Bevölkerung brauchte. Letztlich wurde die Blockade aufgehoben.

Europäische Bündnissysteme

— Eiserner Vorhang

Gründungsmitglieder NATO (1949)

Länder des Warschauer Pakts

Neutrale bzw. blockfreie Länder

0 km   500   1000   1500

ISLAND

ATLANTIK

NORWEGEN

SCHWEDEN

FINNLAND

Nordsee

IRLAND

DÄNEMARK

GROSS-
BRITANNIEN

NIEDERLANDE

SOWJET-
UNION

Berlin
(Viermächtest.)

DDR

POLEN

BELGIEN

LUXEMBURG

BRD

TSCHECHOSLOWAKEI

FRANKREICH

SCHWEIZ ÖSTERREICH

UNGARN

RUMÄNIEN

PORTUGAL

SPANIEN

ITALIEN

JUGOSLAWIEN

BULGARIEN

Schwarzes
Meer

EUROP. TÜRKEI

ALBANIEN

GRIECHENLAND

Mittelmeer

DIE WELT IN AUFRUHR

AUSSERHALB EUROPAS TOBTEN in vielen Regionen der Welt auch weiterhin Kriege. Die Schwäche des europäischen Imperialismus veranlassten die nationalen Unabhängigkeits-bewegungen in den Kolonien, sich – nicht selten mit Gewalt – von den Kolonialmächten zu befreien. Obwohl die USA sich vorgenommen hatten, die Ausbreitung des Kommunismus weltweit zu bekämpfen, kam es in China zur kommunistischen Machtübernahme. 1950 wurde in Korea ein größerer Krieg geführt.

Die Truman-Doktrin

1947 legte Präsident Truman die USA darauf fest, der Ausbreitung des Kommunismus welt-weit Einhalt zu gebieten. Er erklärte, Amerika würde einer bewaffneten Aggression der Sowjetunion oder deren Verbündeter sowie dem Versuch einer kommunistischen Macht-ergreifung in jedem Land entgegentreten.

Unabhängigkeit Indiens

In vielen Kolonien strebte die Bevölkerung nach dem Krieg die Unabhängigkeit an. Indien, Pakistan und Ceylon (heute Sri Lanka) wurden 1947 von Großbritannien unabhängig. Obwohl es zu erheblichen Gewalttätigkeiten zwischen Muslimen und Hindus kam, wurde die neu gewonnene Freiheit begeistert gefeiert.

Mao siegt im Bürgerkrieg

1949 hatten die Kommunisten unter Mao Tse-tung im chinesischen Bürgerkrieg gegen die National-chinesen von Präsident Tschiang Kai-schek gesiegt. Mao herrschte auf dem Festland, doch die Insel Formosa (heute Taiwan) blieb nationalchinesisch.

Unabhängigkeitskriege

In vielen Regionen kämpften die europäischen Mächte vergeblich gegen das Unabhängigwerden ihrer Kolonien. Großbritannien führte Kriege in Kenia, Malaya und Zypern. Die Franzosen wurden 1954 von der kommunistisch geführten Unabhängigkeitsbewegung, den Viet Minh, aus Indochina vertrieben. Das Plakat preist deren Sieg.

Als Stalin starb, lebte etwa ein Drittel der Weltbevölkerung in kommunistisch bzw. sozialistisch regierten Ländern.

Mit UN-Kampfauftrag in Korea

Nach dem Zweiten Weltkrieg wurde Korea geteilt. Im prosowjetischen Norden und im proamerikanischen Süden gab es je eine Regierung. 1950 marschierte das kommunistische Nordkorea in den Süden des Landes ein. Unter Führung der USA verteidigten UN-Truppen den Süden.

Chinesen rücken nach Korea ab

China schickte ein Expeditionsheer nach Korea, um die UN-Truppen zu bekämpfen. Der Krieg forderte mehr als 3 Mio. Menschenleben. Als 1953 die Kämpfe eingestellt wurden, blieb Korea wie zu Beginn des Kriegs in Nord und Süd geteilt – eine Teilung, die bis heute unverändert fortbesteht.

GRÜNDUNG ISRAELS

In der Nachkriegszeit kämpften die Juden in Palästina sowohl gegen die britischen Mandatstruppen als auch gegen die palästinensischen Araber. 1948 zogen die Briten aus Palästina ab, im Mai desselben Jahrs wurde Israel von den UN als selbstständiger Staat anerkannt. Unmittelbar nach dieser UN-Deklaration wurde Israel von seinen arabischen Nachbarstaaten angegriffen.

ES GEHT WIEDER AUFWÄRTS

IN DEN FÜNFZIGERJAHREN brachte ein Wirtschaftsaufschwung in Ländern wie Deutschland, Großbritannien, Frankreich, Italien, Japan und den USA den Menschen mehr Wohlstand. Es gab keinen Rückfall in die vor dem Krieg herrschende Massenarbeitslosigkeit und Armut. Zur gleichen Zeit begann in der Nachkriegswelt für viele gesellschaftliche Gruppen ein harter Kampf um Gleichberechtigung.

Zurück an den Herd
Nach dem Krieg kehrten viele Frauen wieder zu ihrer Hausfrauenrolle zurück. Viele suchten ihr Glück im Familienleben. Deshalb und weil es erst 1960 die Anti-Baby-Pille gab, kam es zum sogenannten Babyboom. Erst in den Sechzigerjahren begannen die Frauen wieder, für ihre Gleichberechtigung zu kämpfen, und knüpften an die Frauenbewegung der Weimarer Republik an.

Wehrdienst
In Amerika und Großbritannien hatte die unruhige Weltlage zur Folge, dass auch lange nach Kriegsende noch verstärkt junge Männer eingezogen wurden. Elvis Presley leistete einen Teil seines Wehrdienstes in Deutschland ab.

Bürgerrechte für Afroamerikaner
Der Kriegsbeitrag der Schwarzen in den USA fand kaum Anerkennung. Viele von ihnen verloren ihre Arbeitsplätze, als die Weißen aus dem Krieg heimkehrten. Die demokratischen Rechte, für die man Krieg geführt hatte, wurden den meisten Afroamerikanern weiterhin vorenthalten. Dem Bürgerrechtskampf schlossen sich nun noch mehr Menschen an.

Vorteile des Wachstums

In Westeuropa versprachen die Regierungen soziale Sicherheit und Arbeit für alle. Diese Politik war so erfolgreich, dass es den Arbeitern besser ging als je zuvor. Es war Geld da, um Waschmaschinen, Autos und Fernsehgeräte anzuschaffen.

GEMEINSAMER MARKT

Die bitteren Erfahrungen zweier Weltkriege veranlassten den französischen Präsidenten Charles de Gaulle und Bundeskanzler Konrad Adenauer zu regelmäßigen Treffen, die zu einer neuen, vertrauensvollen Zusammenarbeit führten. Frankreich und die BRD spielten die Schlüsselrolle bei der Gründung des Gemeinsamen Markts, dem Vorläufer der heutigen Europäischen Union.

Hochkonjunktur in Japan und der BRD

In den Fünfzigerjahren erholten sich Japan und die Bundesrepublik allmählich von den Kriegsschäden. Durch Produktion von Massenware wie dem Volkswagen mit modernen Fertigungsmethoden beherrschten beide Länder die Exportmärkte weltweit. Infolgedessen stieg in beiden Ländern der Lebensstandard deutlich.

177

TRÜMMER, TEILUNG, MAUERBAU

DIE EINIGKEIT DER SIEGER war nur von kurzer Dauer gewesen. Briten und Amerikaner schlossen ihre Einflussbereiche rasch zur Bizone („Zweierzone") zusammen, die bald darauf zusammen mit dem französischen Besatzungsgebiet zur Trizone („Dreierzone") verschmolz. Die sowjetische Militärregierung richtete ihren Einflussbereich nach kommunistischen Zielvorstellungen aus. Die deutsche Zweistaatlichkeit zeichnete sich bereits ab. Im Mai 1949 wurde die Bundesrepublik Deutschland (BRD), im Oktober 1949 die Deutsche Demokratische Republik (DDR) gegründet. Mitten durch Deutschland verlief nun die Nahtstelle zwischen Ost und West.

Verlust

Ist es ein heimkehrender Soldat, der die Trümmer seines Hauses vorfindet oder ein Flüchtling, der nach zielloser Wanderung von Schmerz und Trauer übermannt wird? Millionen entwurzelter Menschen waren nach Kriegsende in Deutschland unterwegs. Oft hatten sie keine Nachricht von ihren Angehörigen, hatten womöglich ihr Zuhause verloren.

Überleben trotz Hunger und Kälte

Der Berliner Reichstag blieb für lange Zeit eine Ruine. Den Platz davor nutzten die Menschen in der unmittelbaren Nachkriegszeit, um Gemüse anzubauen. Man versuchte alles, um an Lebensmittel zu kommen, und fuhr in überfüllten Zügen aus den Städten aufs Land. Dort tauschte man Waren mit den Bauern oder suchte die bereits abgeernteten Felder nach übrig gebliebenen Kartoffeln oder Rüben ab. Vieles wurde zum Überleben auch „organisiert", das heißt gestohlen. Um Brennholz zu erhalten, wurden bewaldete Teile des Berliner Bezirks Tiergarten abgeholzt.

Luftbrücke

Das politische Klima zwischen den Siegermächten hatte sich zusehends verschlechtert. Infolge der Währungsreform in den Westzonen riegelte die Sowjetunion im Juni 1948 alle Zufahrtswege nach Berlin ab. Die Westmächte versorgten die Stadt für elf Monate aus der Luft. Täglich kamen über 2000 Tonnen an: Nahrungsmittel, Kohle, Benzin, aber auch Medikamente und andere benötigte Dinge. Alle drei Minuten landete ein Flugzeug.

Deutschland – ein Trümmerfeld

Vor allem Frauen beseitigten die Kriegstrümmer, man nannte sie „Trümmerfrauen". In der Regel wurden Frauen zwischen 15 und 50 Jahren, oft auch Witwen mit Kindern, zu dieser Arbeit verpflichtet. Die Innenstädte waren zerbombt, Millionen Wohnungen, Fabriken und öffentliche Gebäude durch alliierte Luftangriffe zerstört worden.

Das Bild des Kalten Krieges

Das Brandenburger Tor – Symbol der deutschen Teilung. Bis zum November 1989 durchschnitten Mauer und Stacheldraht die Stadt. Im Lauf der Zeit wurden die 167,8 km langen und schwer bewachten Grenzanlagen immer undurchlässiger. Dennoch gab es auch in den 1980er-Jahren immer wieder Fluchtversuche von Ost nach West. Zwischen 125 und 206 Menschen – eine genaue Zahl ist nicht zu ermitteln – starben auf dem Grenzstreifen.

Bau der Berliner Mauer

Ab dem 13. August 1961 bauten Ostberliner Bauarbeiter unter Bewachung durch die Volkspolizei eine Mauer zwischen dem Ost- und dem Westteil der Stadt. Die Eingänge der Häuser auf der neuen Grenze wurden zugemauert, den Menschen der freie Übergang verwehrt. Viele Familien wurden auseinandergerissen und ihre Mitglieder hatten, wenn überhaupt, nur durch Winken oder Rufen über die Mauer Kontakt. Später konnten Menschen zwar aus dem West- in den Ostteil, jene aus dem Ost- aber nicht in den Westteil gelangen.

NOVEMBER 1961

DER KALTE KRIEG

NACH DEM ZWEITEN WELTKRIEG war mehr als 40 Jahre lang ein Krieg zwischen Amerika und der Sowjetunion zu befürchten. Wegen der vielen stationierten Atomwaffen hätte dies eine weltweite Verwüstung bedeutet. Zum Glück blieb der Konflikt ein „Kalter" Krieg, also ohne militärische Auseinandersetzung. Er endete erst 1991 mit der Auflösung des Warschauer Pakts.

Atomares Wettrüsten
Nachdem die Sowjetunion 1949 eine eigene Atombombe zur Explosion gebracht hatte, begann zwischen Sowjets und Amerikanern ein ungezügeltes atomares Wettrüsten. Die Wasserstoffbombe, 1952 erstmals von den USA getestet, hatte eine weitaus zerstörerische Wirkung als die Hiroshima-Bombe.

Gleichgewicht des Schreckens
In den Sechzigerjahren besaßen Amerikaner und Sowjets genügend Atomwaffen, um die Städte des Gegners zu zerstören. Raketen mit nuklearen Gefechtsköpfen waren von einem Moment zum anderen einsatzbereit. Beide Seiten mussten mit größten Schäden rechnen. Die Gewissheit, bei einem Krieg jeweils selbst vernichtet zu werden, sowie die Entspannungspolitik hielten sie vom Beginn eines Weltkriegs ab.

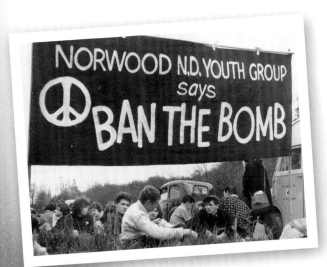

Friedensbewegungen
Die Menschen engagierten sich angesichts der Atomwaffen in großer Zahl für den Frieden. In der BRD protestierten am 23. Oktober 1983 mehr als 1 Mio. Menschen für die Abschaffung jeglicher Rüstung.

Krieg in Vietnam

Um die Ausbreitung des Kommunismus zu verhindern, führten die amerikanischen Streitkräfte zwischen 1965 und 1973 einen Krieg an der Seite Südvietnams. Obwohl 50 000 US-Soldaten ihr Leben verloren, scheiterte der Versuch – das kommunistische Nordvietnam verleibte sich den Süden schließlich ein.

FEINDE WERDEN ZU FREUNDEN

Deutschland und Japan wurden im Kalten Krieg zu wertvollen Verbündeten Amerikas. Japan blieb zwar abgerüstet, bot der amerikanischen Asien-Politik seit dem Korea-Krieg jedoch wertvolle Unterstützung. Die BRD übernahm 1955 militärische Verpflichtungen als Mitglied der NATO, die DDR war mit der Sowjetunion verbündet.

Sowjetische Panzer rollen

Die Macht der Regime in den Ostblockstaaten stützte sich auf die Militärmacht der Sowjets. Der Ruf nach Freiheit und Demokratie wurde, wie 1956 in Ungarn und 1968 in der Tschechoslowakei, von sowjetischen Panzern niedergewalzt.

Fall der Berliner Mauer

Mit dem Bau der Berliner Mauer riegelte die DDR-Regierung 1961 den Ostteil der Stadt vom West-teil ab. Diese scharf bewachte Grenze wurde zum Symbol des geteilten Europa. 1989 läutete der Fall der Mauer den Sturz der kommunistischen Regime in Osteuropa ein. Die beiden deutschen Staaten vereinigten sich 1990.

ERINNERN

DER ZWEITE WELTKRIEG lebt in der Erinnerung als ein Sieg über
das Böse fort. Inzwischen sind viele Menschen, die ihn selbst
miterlebt haben, sehr alt, andere sind bereits gestorben. Als
Mahnung wird die Erinnerung an die Schrecken des Kriegs und
des Holocaust durch öffentliche Gedenkfeiern, Bücher, Spiel-
filme und Dokumentationen im Bewusstsein der nachfolgenden
Generationen wach gehalten.

Holocaust-Gedenkstätten
Der Opfer des Holocaust
wird durch viele Museen und
Mahnmale gedacht. Die oben
gezeigten Bilder gehören zum
Denkmal für die ermordeten
Juden Europas, das 2005 in Berlin
eröffnet wurde. Auf dem Gelände
des ehemaligen Vernichtungs-
lagers Auschwitz bei der polnischen Stadt Oświęcim finden
viele Gedenkveranstaltungen
statt. Die UNESCO erklärte es
1979 zur Welterbestätte.

Gedenken in Hiroshima
An der Stadt Hiroshima lässt
sich ablesen, wie sehr der Krieg
in Vergessenheit geraten ist. Die
Wüste des Todes war zehn Jahre
nach Kriegsende wieder zu einer
geschäftigen Stadt geworden.
Nur wenige Zeichen ließen
noch das Vergangene ahnen. Im
„Friedenspark" der Stadt finden
jedoch noch alljährlich Gedenkfeiern statt.

Amerikas nationale Gedenkstätte wurde 2004, 59 Jahre nach Ende des Zweiten Weltkriegs, in der Hauptstadt Washington eröffnet.

Die Katyn-Gedenkstätte

Erst 1990 übernahm Russland unter Michail Gorbatschow die Verantwortung für die Ermordung der polnischen Gefangenen in Katyn. Seine Nachfolger bestritten die russische Schuld wieder. Gedenkstätten wie diese in Warschau halten das Verbrechen im Bewusstsein wach, doch bisher wurde noch kein früherer Sowjetbürger als Kriegsverbrecher angeklagt.

JAPANS LEUGNEN

Japan räumte nur widerwillig seine Schuld an den Angriffshandlungen und Grausamkeiten des Zweiten Weltkriegs ein. 1995, zum 50. Jahrestag des Kriegsendes, gab Ministerpräsident Murayama zu, Japan habe Fehler begangen. Insbesondere bestreitet Japan nach wie vor zur Empörung Chinas, das Massaker von Nanking begangen zu haben. 2005 entschuldigte sich Ministerpräsident Koizumi allgemein für japanische Kriegsverbrechen.

Der Krieg auf der Leinwand

Steven Spielbergs Film *Der Soldat James Ryan* wurde 1998 gedreht. Sein Erfolg zeigt, dass der Krieg für die Popkultur immer noch faszinierend ist. Selbst Serien wie *Die Simpsons* spielen häufig auf den Zweiten Weltkrieg an. Die Bereitschaft der Deutschen, sich ihrer Vergangenheit zu stellen, beweist u. a. der Erfolg des Films *Der Untergang* von 2004, in dem die letzten Tage Hitlers und seines engsten Machtzirkels im Berliner Bunker auf der Grundlage eines fiktiven Buchs geschildert werden.

Gedenkveranstaltungen zur Invasion

Mehr als ein halbes Jahrhundert nach Kriegsende kommen die Teilnehmer noch immer zusammen, um sich an dieses Ereignis zu erinnern. Diese Kriegsveteranen gedenken 2004 des 60. Jahrestags der Invasion, genannt „D-Day".

Der Zweite Weltkrieg hat fast 60 Millionen
Menschen das Leben gekostet – und ist bis heute
der schlimmste Krieg der Geschichte.

Achsenmächte
Deutsches Reich, Königreich Italien, Kaiserreich Japan –
vertraglich aneinander gebunden und daher als „Achse Berlin-
Rom-Tokio" bezeichnet.

Alliierte
Verbündete; hier die Angehörigen der Allianz gegen
Hitler-Deutschland.

Annexion
Völkerrechtlich unzulässige Eingliederung fremden Territoriums
ins eigene Staatsgebiet.

Appeasement
„Besänftigung"; Bezeichnung der britischen Politik, die bis
zum „Münchner Abkommen" den Wünschen Hitlers weitgehend nachgab. Allgemein: Beschwichtigungspolitik gegenüber
totalitären Regimen.

Besatzungsgebiet
Territorium, das von der im Land stehenden feindlichen
Truppenmacht (bis auf Weiteres nach Kriegsrecht) regiert wird.

Besetztes Europa
Alle Teile Europas, die im Zuge des Zweiten Weltkriegs von der
deutschen Wehrmacht erobert wurden und besetzt waren.

Blitzkrieg
Deutsche Strategie, die durch massiven Einsatz von schnellen
Truppen (Panzern), Erdkampfflugzeugen (Sturzkampffliegern)
und nachrückender Infanterie rasche Siege erzielte.

Brandbomben
Im Zweiten Weltkrieg insbesondere von den Briten eingesetztes
Kampfmittel, oftmals gemeinsam mit Sprengbomben mit Verzö-
gerungszünder abgeworfen, um Tod und Verstümmelung auch
über die ahnungslosen Löschmannschaften zu bringen.

Depression
Weltwirtschaftskrise; von der Börse und dem Kreditwesen der
USA Ende der 1920er-Jahre ausgehender katastrophaler Wirt-
schaftsniedergang, der auch auf Europa und den Rest der Welt
übergriff.

Evakuierung
Die Beförderung von Truppen oder Zivilpersonen zu deren
Sicherheit aus einem Kampf-, Katastrophen- oder allgemeinen
Gefahrengebiet.

Exilregierung
Die legitime, international anerkannte Regierung eines Landes,
die sich wegen der dortigen kriegerischen Verhältnisse bis auf
Weiteres in ein Drittland begeben hat.

Faschisten
Hergeleitet von Mussolinis *Fasci di Combattimento* (Kampfbünde);
Sammelbegriff für die mit den Machthabern in Militär und
Industrie verbundenen antidemokratischen und nationalistischen
politischen Parteien. Heute zumeist Gleichsetzung mit Führer-
prinzip und extremem Nationalismus.

Geleitzug
Konvoi; Gruppe von Handelsschiffen, die zu ihrem Schutz von
Kriegsschiffen eskortiert werden.

Gestapo
„Geheime Staatspolizei"; im Deutschen Reich und in den einge-
gliederten Gebieten rücksichtslos operierende Geheimpolizei.
Im übrigen Besatzungsgebiet als Sicherheitsdienst (SD).

Ghetto
Wohnviertel, in dem die jüdische Bevölkerung isoliert leben musste.

Indochina
Die französischen Kolonien in Südostasien; heute selbstständig
als Vietnam, Kambodscha und Laos.

Jugoslawien
Einer der nach Ende des Ersten Weltkriegs neu geschaffenen
Staaten. Zunächst Königreich, später serbisch dominiertes, aber
blockfreies kommunistisches Rätesystem. Inzwischen in ehemalige Gliedstaaten zerbrochen.

Kamikaze
Japanisch für „Götterwind"; Angriffstaktik der japanischen
Marineluftwaffe: Die Flieger tankten nur Brennstoff für den
Hinflug und lenkten ihre mit Sprengstoff beladenen Maschinen
selbstmörderisch auf amerikanische Kriegsschiffe.

Kollaborateur
Jemand, der sich mehr oder weniger freiwillig zur Zusammen-
arbeit mit der Besatzungsmacht bereit erklärt und dadurch den
Interessen des eigenen Landes schadet.

Kombattanten
Bezeichnung für Soldaten, die offen ihre Waffen tragen und an
Uniform, Abzeichen auf der Kopfbedeckung oder sonstigen ein-
heitlichen Merkmalen zu erkennen sind. Sie stehen unter Schutz
des Kriegsvölkerrechts.

Kriegsanleihe
Geld, das Privatleute dem Staat als Kredit zur (Weiter)Finanzierung
eines Kriegs leihen.

Kriegsgefangene
In Feindeshand gefallene Kombattanten.

Kriegsverbrechen
Handlungen von Angehörigen eines Krieg führenden Staates, durch die das Verbot des Angriffskriegs oder die Regeln des Kriegsrechts verletzt werden.

Luftlandetruppen
Truppen aus Soldaten, die durch Absprung aus Flugzeugen oder Landung per Lastensegler den Feind überraschen und handstreichartig bezwingen sollen.

Nachrichtendienst
Gewöhnlich eine militärische Einrichtung, die in Krieg und Frieden Informationen über den (potenziellen) Gegner und dessen Absichten zusammenträgt und auswertet.

Nazi
Anfang des 20. Jahrhunderts Koseform für den Vornamen „Ignaz", dann auch als abwertender Name für Deutsch-Österreicher und Deutsch-Böhmen gebraucht. Der Nationalsozialist Joseph Goebbels überschrieb bereits 1927 eine Schrift mit „Der Nazi-Sozi" als Kurzform für „Nationalsozialist". Später wurde „Nazi" zur Kurzform für die Bezeichnung von Anhängern der Nationalsozialistischen Deutschen Arbeiterpartei (NSDAP) und Hitlers. Heute auf alle Anhänger rechtsextremen oder faschistoiden Gedankenguts ausgedehnt.

Neutralität
Begriff zur Kennzeichnung eines Landes, das sich erklärtermaßen aus Kriegshandlungen heraushalten will. Dem Recht auf Respektierung der Neutralität steht die Pflicht zur Wahrung der Neutralität gegenüber.

Niederländisch-Indien
Das heutige Indonesien ohne die später angeeigneten Gebiete.

Panzerschiffe
Baureihe deutscher Großkampfschiffe gemäß den Auflagen des Versailler Vertrags.

Panzertruppen
Von der deutschen Wehrmacht eingeführte Zusammenfassung von gepanzerten Kampfwagen zu besonders schlagkräftigen Verbänden.

Partisanen
Freischärler und bewaffnete Widerstandskämpfer, die im Untergrund agieren und vom Kriegsvölkerrecht nicht geschützt sind. Im Zweiten Weltkrieg gab es männliche und weibliche Partisanen.

Partisanenkrieg
Kampfhandlungen und Sabotageakte, begangen von bewaffneten Widerstandskämpfern, die keine regulären Soldaten sind und meist aus der Zivilbevölkerung stammen. Der „Befehl zur Bekämpfung von Partisanen und Partisanenverdächtigen" des Oberkommandos der (deutschen) Wehrmacht vom 16. Dezember 1942 besagte, dass vermeintliche Partisanen sofort getötet werden müssten, selbst wenn es sich um Kinder handelte.

Propaganda
Versuch, die öffentliche Meinung durch Verbreitung mehr oder weniger manipulierter Informationen zu beeinflussen.

Radar
Radio detecting and ranging, eigentlich „Funkermittlung und Entfernungsmessung". Auf die Reflexion elektromagnetischer Wellen gestütztes, zunächst nur im Luft- und Seekrieg genutztes Ortungsverfahren.

Rationierung
Staatlich organisierte Zuteilung von knappen Bedarfsgütern gegen Vorlage von Lebensmittelmarken und Bezugsscheinen, um Schwarzmarkt und Wucher zu verhindern.

Reparationen
Materielle Wiedergutmachung der vom Unterlegenen verursachten Kriegsschäden.

Sabotage
Bewusste Beschädigung von Kriegs- oder Wirtschaftsgütern, um die Kriegsanstrengungen des betreffenden Landes zu beeinträchtigen.

Sowjetunion
Abkürzung: SU. Auch Union der Sozialistischen Sowjetrepubliken (UdSSR) genannt. Aus 15 Republiken bestehender Bundesstaat, revolutionärer Nachfolger des Kaiserreichs Russland. Zerbrach 1991 mit der Auflösung des Warschauer Pakts.

SS
„Schutzstaffel", hervorgegangen aus Hitlers Leibgarde, später unter ihrem Reichsführer Himmler zuständig für das gesamte deutsche Polizeiwesen, die Konzentrationslager und die „Endlösung der Judenfrage". Nicht identisch mit der Waffen-SS.

Supermacht
Begriff, mit dem nach Ende des Zweiten Weltkriegs die USA und die Sowjetunion belegt wurden, als die alten europäischen Großmächte zunehmend an Bedeutung verloren.

„The Blitz"
Englische Bezeichnung der deutschen Luftangriffe auf britische Städte (1940/1941).

Tschechoslowakei
Ehemaliger Bundesstaat der Tschechen und Slowaken.

U-Boot
Tauchfähiges kleines Kriegsschiff, das die feindliche Seeschifffahrt über und unter Wasser mit Torpedos bekämpft.

V 1
Steuerbare, unbemannte Flugbombe mit Eigenantrieb; deutscher Vorläufer aller heutigen Cruise Missiles (Marschflugkörper). Das V steht für „Vergeltungswaffe".

V 2
Erste ballistische Rakete mit taktisch-konventionellem Gefechtskopf; auch als Aggregat 4 bezeichnet.

Verbrechen gegen die Menschlichkeit
Völkerrechtlicher Straftatbestand, der erstmals 1945 vertraglich festgelegt wurde im Londoner Statut des für den Nürnberger Prozess gegen die deutschen Hauptkriegsverbrecher geschaffenen Internationalen Militärgerichtshofs.

Versailler Vertrag
Der Teil der Pariser Vorortverträge, der dem Deutschen Reich am Ende des Ersten Weltkriegs 1919 als Waffenstillstandsvertrag auferlegt wurde.

Vichy-Frankreich
Der von den siegreichen deutschen Truppen 1940 unbesetzt gebliebene Teil Frankreichs mit eigener, demokratisch nicht legitimierter Regierung unter Marschall Pétain.

Waffen-SS
Der Wehrmacht zugeordnete SS-Truppen, die am normalen Kampfgeschehen teilnahmen. Viele Verbände wurden aber auch vorsätzlich zu Kriegsverbrechen herangezogen.

GLOSSAR

REGISTER

BILDNACHWEIS

Der Verlag dankt den folgenden Personen und Institutionen für die freundliche Genehmigung zum Abdruck von Fotos:

(Abkürzungen: o = oben, u = unten, m = Mitte, l = links, r = rechts, go = ganz oben)

1 Imperial War Museum: Mapham, J. (Sgt) (BU 6666). 2-3 Imperial War Museum (NYF 80381). 4-5 Imperial War Museum (NYF 58682). 6 Imperial War Museum: ((GR 530) l/2, (EA 22331) l/3, (NAM 236) l/6); Hoffmann, Heinrich (MH 11040) (l/1); Morris (Sgt) & Midley (Sgt) (BU 3813) (l/4); No. 16 Group RAF (C 4451) (l/5). 8-9 The Art Archive: John Meek. 10 Corbis: Bettmann (mu); Underwood & Underwood (mr). Imperial War Museum: Brooke, J.W. (Lt) (Q 5100) (go). 11 Alamy Images: Mary Evans Picture Library (gol). Corbis: Bettmann (m ul). 12 The Art Archive: (mr). Corbis: Bettmann (gol, ml); EPA (um). 13 akg-images: (gol). DK Images: Mit frdl. Genehmigung d. Michael Butler Collection (gom). Getty Images: Imagno (ur). 14 Alamy Images: Popperfoto (u). The Art Archive: Gunshots (gor). Corbis: Bettmann (gol). 15 Alamy Images: Mary Evans Picture Library (ml). Corbis: Bettmann (gor). Imperial War Museum: (HU 6301) (m). 16-17 Alamy Images: The Print Collector. 18 The Art Archive: Private Collection / Marc Charmet (mr). Corbis: Hulton-Deutsch Collection (ml). DK Images: Judith Miller / Larry & Dianna Elman (um). The Kobal Collection: Universal (gor). 19 akg-images: (gol). Imperial War Museum: Hoffmann, Heinrich (HU 3640) (mo). 20 Corbis: Bettmann (gol); EFE (um). 20-21 akg-images: (go). 21 The Art Archive: (ml); Dagli Orti (ur). Corbis: Hulton-Deutsch Collection (mo). 22 Alamy Images: Popperfoto (mlu). Corbis: (gol); Hulton-Deutsch Collection (ur). 23 Corbis: Bettmann (mr). Getty Images: Central Press (gor); Time Life Pictures / Carl Mydans (ur). 24 Corbis: Hulton-Deutsch Collection (ml). Getty Images: Hulton Archive (gol); Time Life Pictures / Timepix / Hugo Jaeger (m). 25 akg-images: (ml). Alamy Images: Popperfoto (ur). The Art Archive: Dagli Orti (gor). Imperial War Museum: (MH 2088) (ml). 26 Corbis: Bettmann (um, ur). Imperial War Museum: (FRA 204717) (ml). 27 Alamy Images: Mary Evans Picture Library (m). The Art Archive: John Meek (gom). Corbis: Bettmann (mro); Hulton-Deutsch Collection (ur). 28-29 akg-images. 30 Alamy Images: Popperfoto (u). Corbis: Hulton-Deutsch Collection (ml). Imperial War Museum: (GER 18) (mro). 31 akg-images: The Art Archive: Private Collection / Marc Charmet (ul). The Bridgeman Art Library: Private Collection / Archives Charmet (m). Getty Images: Time Life Pictures / Timepics / Hugo Jaeger (gol). 32 The Bridgeman Art Library: Private Collection / Archives Charmet (ul). Getty Images: General Photographic Agency (go). Imperial War Museum: Ministry of Information (D 2593) (mru). 33 The Art Archive: Private Collection (gor). Getty Images: Time Life Pictures / William Vandivert (ml). Imperial War Museum: Royal Navy (A 6) (u); War Office (H 476) (gol). 34 Alamy Images: Mary Evans Picture Library (ml). Imperial War Museum: (HU 55566) (ul); Royal Navy (A 42) (gor). 34-35 akg-images: Ullstein Bild (um). 35 Alamy Images: Popperfoto (um). Imperial War Museum: (MISC 17435) (ur); Bridge, N.H. (HU 55640) (mo). 36 Getty Images: Hulton Archive (gol). Photo12.com: Collection Bernard Crochet (u). 37 Imperial War Museum: (HU 1135) (ur); Crown Copyright / Artist: Charles Cundall R.A. (IWM ART LD 35) (ul); War Office (F4505) (gol). 38-39 Imperial War Museum: War Office / Puttman (Mr) & Malindine (Mr). (H 1637) 40 akg-images: Jean-Pierre Verney (mro). Corbis: Bettmann (l). Imperial War Museum: Free French Collection (HU 55588) (u). 41 Alamy Images: Popperfoto (ul). Getty Images: Fox Photos / Marshall (ur). Imperial War Museum: (HU 63611) (gor); Beaton, Cecil (MH 26392) (u). 42 Imperial War Museum: (HU 49253) (go); No. 609 Squadron RAF (CH 1823) (ur); Royal Air Force (CH 13680) (ul). 43 Getty Images: Time Life Pictures / William Vandivert (gor). Imperial War Museum: Brandt, Bill (D 1568) (ul); German Air Force (C 5422) (gor); Ministry of Information (D 18096) (um). 44-45 Imperial War Museum: German Air Force (C 5422). 46 Alamy Images: Photos 12 (u). Corbis: Bettmann (gor). Getty Images: Keystone (m). Imperial War Museum: Tomlin, H.W. (Lt) (A 724) (ur). 47 Corbis: Hulton-Deutsch Collection (go); Swim Ink 2, LLC (ur). Imperial War Museum: Horton (Capt) (H 12744)

(ul). 48 Alamy Images: Mary Evans Picture Library (gom). Getty Images: Keystone (ul). Photo12.com: Collection Bernard Crochet (m). 49 Imperial War Museum: Keating, G. (Cpt) (go (E 6600), ul (E 1580)); Royal Air Force / Hensser, H. (Mr) (CM 749) (ur). 50 akg-images: (gol, u). 51 The Art Archive: (gol); Dagli Orti (mr). 52 akg-images: Ullstein Bild (go). Getty Images: MPI (ur). 53 Alamy Images: Mary Evans Picture Library (mro). Corbis: Bettmann (ul). Getty Images: Laski Diffusion (gol). Imperial War Museum: Ministry of Information (P 233) (u). 54-55 Alamy Images: The Print Collector. 56 Ullstein Bild: (ol, mr); AKG Pressebild (u); LEONE (mr). 57 Ullstein Bild: (ul); Nowosti (o); SZ Photo/SV Bilderdienst (ur); Stary (gr). 58 DK Images: Imperial War Museum (ur). Getty Images: Time Life Pictures / Pix Inc. (ul). Imperial War Museum: (HU 86369) (gol). 59 akg-images: (go, ul). Getty Images: Keystone (u). 60-61 Getty Images: Time & Life Pictures / Frank Scherschel. 62 Getty Images: Keystone (m). akg-images: (u). 63 Corbis: K.J. Historical (ur). Imperial War Museum: (go (OEM 21469), mu (OEM 3605)). M. frdl. Genehmigung d. Museum of World War II, Natick, Massachusetts: (mlu). 64 akg-images: (um). Alamy Images: Pictorial Press Ltd. (u). 65 Corbis: (gor); Bettmann (gol); K.J. Historical / David Pollack (mr). Getty Images: Time & Life Pictures / Dmitri Kessel (ml). Imperial War Museum: (NY 7343)(um). 66 Alamy Images: Mary Evans Picture Library (ur). Imperial War Museum: Cartwright (Lt Cmdr) (HU 2675) (mr). 66-67 Imperial War Museum: (HU 2780) (gom). 67 Imperial War Museum: (HU 2781) (u). Imperial War Museum: (MH 28352) (ur). Getty Images: Time & Life Pictures / George Rodger (mr). 68 The Bridgeman Art Library: Private Collection / Peter Newark Military Pictures (gol). Corbis: (ur); Bettmann (m). 77 Alamy Images: Popperfoto (gol). Imperial War Museum: (HU 69098) (u). M. frdl. Genehmigung d. US Navy: (gor). 70 Corbis: Hulton-Deutsch Collection (u). Getty Images: Time & Life Pictures / George Strock (gol). 71 The Art Archive: Dagli Orti / Domenica del Corriere (ur). Corbis: Hulton-Deutsch Collection (gol). Getty Images: Time & Life Pictures / William Vandivert (gor). Imperial War Museum: No. 9 Army Film & Photographic Unit (IND 2917) (ml). 72-73 Imperial War Museum: Chetwyn (NA 5107). 74 Corbis: Bettmann (ul). Getty Images: Time & Life Pictures / National Archives (mr). Library Of Congress, Washington, D.C.: Byrne, Thomas A. (gol). 75 Corbis: Bettmann (go). Library Of Congress, Washington, D.C.: Douglas Aircraft Photo from OWI (ul); Saint Louis Dispatch (ur). 76-77 Corbis: Bettmann (u). 78 Corbis: (gol); Bettmann (mr). Imperial War Museum: Ministry of Information (TR 911) (um); Ullstein Bild (ur). 79 akg-images: (ul, um). Getty Images: Harold M. Lambert (go). Imperial War Museum: Royal Air Force / Daventry (F/O) (C 380) (ur). 80 Imperial War Museum: Keating, G. (Cpt) (E 2301) (m); War Office / Chetwyn, L. (Lt) (TR 1394) (gol); Windows (Sgt) E 14775) (u). 81 Imperial War Museum: Keating (Cpt) (NA 2514) (ur); Royal Air Force (TR 978) (go); Royal Navy / Hudson, F.A. (Lt) (A 12649) (ml). 82 Corbis: Hulton-Deutsch Collection (u). Imperial War Museum: Stubbs (Sgt) (NA 4940) (ul). 83 akg-images: (gol). Imperial War Museum: Dawson (Sgt) (NA 11034) (ml); Menzies (Sgt) (NA 16116) (u); Royal Air Force / Baker (F/O) (C 4363) (gor). 84 akg-images: (ml). Imperial War Museum: (go (RUS 3699), ur (HU 5131)). Wikipedia, The Free Encyclopedia: (ul). 85 akg-images: (gor). Corbis: (u). Getty Images: Slava Katamidze Collection / G. Lipskerov (mo). 86 Alamy Images: Mary Evans Picture Library (gor, u). 87 akg-images: (u). Corbis: Bettmann (gor). Getty Images: Keystone (gor). Imperial War Museum: (RUS 1191) (gol). 88 Alamy Images: INTERFOTO Pressebildagentur (ul). Imperial War Museum: (HU 40239) (ur); Royal Navy / Coote, R.G. (Lt) (A 12883) (go). 89 Imperial War Museum: (ZZZ 3130 C) (ml); Royal Air Force / Daventry, B.J. (Flt Lt) (CH 15302) (ur); Royal Navy / Davies, F.A. (Lt) (A 15424) (mr); Royal Navy / McNeill, M.H.A. (Lt) (A 23959) (ul). 90 Getty Images: (gor). Imperial War Museum: (m (MH 27178), ur (HU 16541)). 91 The Art Archive: (ul). Science & Society Picture Library: Bletchley Park Trust (go). 92 Alamy Images: Popperfoto (u). Corbis: Bettmann (m). Imperial War Museum: Royal Air Force (TR 134) (gol). 93 Imperial War Museum: (gor (IWM FLM 2363), u (HU 63075)); Royal Air Force (C 3677) (gol). 94-95 Imperial War Museum: (COL 205). 96 97 Ullstein Bild: (gl, ol); SZ Photo/SV Bilderdienst (ul, ogr); LEONE (mr); Bunk (u); H. Schmidt-Luchs (gur). 98 99 Ullstein Bild: (mo, mu); DHM, Berlin: (or, gl). 100 Corbis: Bettmann (go, ul). Getty Images: Keystone (mru). 101 Alamy Images: Mary Evans Picture Library (mru). Corbis: (mlu). Getty Images: LAPI / Roger Viollet (um). Imperial War Museum: (HU 1761) (mlo). 102 Corbis:

DANK UND BILDNACHWEIS

Bettmann (um); Swim Ink 2, LLC (ml). Photo12.com: Keystone Pressedienst (mru). 102-103 akg-images: Michael Teller (gom). 103 The Art Archive: Culver Pictures (gor); National Archives, Washington D.C. (u). Getty Images: Anne Frank House, Amsterdam (mr). 104-105 The Art Archive: National Archives, Washington D.C. 106-107 Imperial War Museum: (GER 133). 108 akg-images: Ullstein Bild (ul). Getty Images: Keystone (ur). Imperial War Museum: (HU 59359) (gor). Wikipedia, The Free Encyclopedia: (m). 109 Corbis: Hulton-Deutsch Collection (u). Getty Images: Keystone (go). Imperial War Museum: Comite d'Histoire de la 2eme Guerre Mondiale (MH 11145) (mlu). 110 Getty Images: Time & Life Pictures / Pix Inc. (go). Imperial War Museum: (HU 20926)(mru). 111 Alamy Images: Tim Gainey (ur). Corbis: Bettmann (ul). Imperial War Museum: (gol (HU 20288), gor (HU 49533)). 112 akg-images: (mr). Alamy Images: Pictorial Press Ltd (ml). Corbis: David J. & Janice L. Frent Collection (m). 113 Imperial War Museum: (MH 1984) (gol); Lotzof, H. (Lt) (E 26615) (mr); Ministry of Information (D 1966) (ml); Royal Navy / Mason, H.A. (Lt) (A 14149) (m). 114 Imperial War Museum: (gol (TR 207), um (H 42531)). Photo12.com: Coll-DITE / USIS (ml). 115 Imperial War Museum: (I (BU 1040), m (PL 25481), mru (HU 28594)); Royal Air Force (CL 1005) (gor). 116 Corbis: (u). Getty Images: Time & Life Pictures / US Army Air Force (mro). Imperial War Museum: Royal Navy / McNeill, M.H.A. (Lt) (A 23961) (gol). 117 Imperial War Museum: (MH 3097)(ml); Handford (Lt) (B5144) (mr). 118-119 Imperial War Museum: (MH 3097). 120-121 Imperial War Museum: (EA 25636). 122 Corbis: Bettmann (mr). Imperial War Museum: (ml (SE 7910)). Imperial War Museum: (IND 4723) (u). 123 Imperial War Museum: (go (NYP 29231), ml (EN 19866)). Corbis: (ur). Imperial War Museum: (NYF 30343) (ul). 124 Corbis: Bettmann (m, ur). 125 Corbis: (ur); Hulton-Deutsch Collection (mru). Imperial War Museum: (NYP 46105) (mr). Photo12.com: Collection Bernard Crochet (gol). 126-127 Alamy Images: INTERFOTO Pressebildagentur. 128 Corbis: Bettmann (mr). Imperial War Museum: (NYT 12797 E) (ul). 129 Corbis: Bettmann (gol). Getty Images: Time & Life Pictures / Carl Mydans (gor). Imperial War Museum: (HU 66477) (mo); Midgley (Sgt) (BU 508) (u). 130 Getty Images: Keystone (u). Imperial War Museum: (MH 2111 B) (gol). The Art Archive: Marc Charmet (mlu). Photo12.com: Keystone Pressedienst (ur). 132 Ullstein Bild: (m); SZ Photo/SV Bilderdienst (ul, r); H. Schmidt-Luchs (ol). 133 Ullstein Bild: (ol, ul); Grimm (gr). 134 Corbis: Bettmann (gol); DPA (u). Imperial War Museum: Ministry of Information (D 21213) (ul); Royal Air Force (CL 3433) (m). 135 Alamy Images: Popperfoto (u). Corbis: Philip Wallick (gol). Imperial War Museum: Ministry of Information (D 4054) (mro). 136 The Art Archive: Musée des 2 Guerres Mondiales, Paris (m). Imperial War Museum: (MOI FLM 1536) (ml). Library Of Congress, Washington, D.C.: WPA Art Project (mr). 136-137 Imperial War Museum: Royal Air Force (TR 1127) (gom). 137 Ullstein Bild: Rihnert (u). The Art Archive: German Poster Museum, Essen / Marc Charmet (ml). Imperial War Museum: Loughlin (Sgt) (HU 38756) (gor); Ministry of Information (P 552) (m). 138 Getty Images: AFP (gor). Photo12.com: Ullstein Bild (ur). 139 akg-images: (gor); Benno Gantner (um); Ullstein Bild (ur). 140-141 Ullstein Bild: (ogr,mr,ur, ul); Archiv Gerstenberg (ol, mr). 142 Imperial War Museum: Morris (Sgt) (B5330) (gor); Smith, D.M. (Sgt) (m (BU 1163), um (BU 1121)). 143 Corbis: Bettmann (go). Imperial War Museum: (EA 49214) (m); Shaw (F/Sgt) (CL 2362) (mr); US Army Signal Corps (EA 48892) (ul). 144 Corbis: (ur). Imperial War Museum: (HU 44924) (mr). Photo12.com: Oasis (gol). 145 Imperial War Museum: Malindine (Cpt) (BU 3728) (gor). Library Of Congress, Washington, D.C.: (gol). Photo12.com: Ullstein Bild (u). 146 akg-images: (u). Alamy Images: Popperfoto (gom). Getty Images: Time & Life Pictures / William Vandivert (mro). 147 Imperial War Museum: (HU 50242) (gor); Malindine (Cpt) (BU 5207) (gol); US Signal Corps (EA 65796) (u). 148-149 Corbis: Yevgeny Khaldei. 150 Corbis: (ur). Wikipedia, The Free Encyclopedia: US Army (ul). 150-151 Imperial War Museum: (NYP 58330) (go). 151 Alamy Images: Popperfoto (ul). Corbis: (ur). Imperial War Museum: (ml (NYF 70679), mr (NYP 77198)). 152-153 Alamy Images: Michael Ventura. 154 Corbis: (gor, u). 155 Corbis: Yevgeny Khaldei (mr). Getty Images: The Bradbury Science Museum / Joe Raedle (go). Imperial War Museum: (HU 53442) (ml); Lockeyear, W. (Cpt) (BU 9195) (um). 156 Corbis: EPA (ml). Imperial War Museum: (MH 29427) (ul). Mary Evans Picture Library: Rue des Archives (r). 157 Corbis: (gom). Getty Images: Time & Life Pictures / John Florea (ur). Imperial War Museum: US Army Signal Corps / Tonne, Fred (EA 75894) (ml). 158-159 Corbis: EPA. 160-161 Photo12.com: Oasis. 162-163 Imperial War Museum: Tanner (Cpt) (TR 1802). 164 Getty Images: Time & Life Pictures / Pat English (gor). Imperial War Museum: Royal Air Force / Devon, S.D. (Flt Lt) (CH 15115) (ml). 164-165 Imperial War Museum: Christie, J. (Sgt) (BU 11357) (um). 165 Alamy Images: Popperfoto (um). Corbis: Bettmann (mr). Getty Images: Harry Todd (gor). Imperial War Museum: (HU 69908) (gol). 166 Imperial War Museum: Christie (Sgt) (BU 10264) (gor). Photo12.com: Oasis (u). 167 The Art Archive: Domenica del Corriere / Dagli Orti (mro). The Bridgeman Art Library: Private Collection / Archives Charmet (m). Corbis:

(ur). Imperial War Museum: Jones, A.H. (Sgt) (BU 9768) (gol). 168-169 Ullstein Bild: dpa(85) (ul, or, gur); dpa (ol). © akg-images: (rm). 170-171 Imperial War Museum: (MH 24088). 172 akg-images: (ml). Alamy Images: Popperfoto (ur). Getty Images: Three Lions / Muras (gor). 173 Corbis: Bettmann (gol, ml). Imperial War Museum: (HU 73010) (gor). 174 Getty Images: Keystone (m); MPI (gol). Photo12.com: Xinhua (u). 175 The Bridgeman Art Library: Private Collection / Peter Newark Military Pictures (m). Getty Images: AFP (ur). Imperial War Museum: British Army Rifle Brigade / Godfray, Martin (Sgt) (KOR 604) (gor). Photo12.com: Oasis (gom). 178 Corbis: Bettmann (gor); DPA (ul). Getty Images: Time & Life Pictures / George Skadding (m). 177 The Adveritsing Archives: (gol). Getty Images: AFP / STF (mro). 178-179 Ullstein Bild: (or); AKG Pressebild (gur, ul); dpa (ur); Archiv Gerstenberg (gl); Top Foto (mo). 180 Corbis: Bettmann (gol). Getty Images: Evening Standard (mru). Imperial War Museum: Royal Navy (CT 121) (m). 181 Corbis: Bettmann (ml). Getty Images: Tom Stoddart (u). Magnum Photos: Philip Jones Griffiths (gol). Photo12.com: Keystone Pressedienst (mro). 182 Corbis: Reuters / Arnd Wiegmann (go). Getty Images: AFP / Toshifumi Kitamura (u). 183 Alamy Images: Photos 12 (mro). Corbis: Peter Turnley (gol, u). Getty Images: AFP / Jiji Press (ml). 184-185 Alamy Images: Richard Wareham Fotografie.

Cover: Vorn: Corbis: Bettmann (Hg); akg-images/Nordic Photos. Hinten: Getty Images: National Geographic / Anthony Peritore. Rücken: Corbis: Bettmann

Alle anderen Abbildungen © Dorling Kindersley
Weitere Informationen unter www.dkimages.com

Dank an Elizabeth Bowers, Jane Fish und Abigail Ratcliffe vom Imperial War Museum, Vincent Marzello und Heavy Entertainment.

Dank an Dr. Jürgen Büschenfeld (Texte und Bildrecherche für S. 56–57, 96–97, 98–99, 132–133, 140–141, 168–169, 178–179)

Quellennachweis:

S. 98 unten: Margarethe Dörr, „Der Krieg hat uns geprägt" © 2007 Campus Verlag, Frankfurt a. M.

S. 98 oben: Gretel Bechtold, „Ein deutsches Kindertagebuch in Bildern. 1933–1945" © 1998 Kore Verlag, Freiburg.

S. 99 oben: aus „Juden in Herford", Kommunalarchiv Herford (KAH), Stadtarchiv Herford, Slg. Q 63.

S. 99 unten: Walther Petri (Hrsg.): Das Tagebuch des David Rubinowicz © Beltz & Gelberg in der Verlagsgruppe Beltz, Weinheim und Basel.

S. 104 unten: Primo Levi Ist das ein Mensch? – Die Atempause. Aus dem Italienischen von Heinz Riedt und Barbara und Robert Picht © 2002 Carl Hanser Verlag, München.

S. 45 oben: Waiting For the All Clear, Hrsg. Ben Wicks (Bloomsbury)

S. 45 unten: Imperial War Museum Sound Archive: Stewart, Gwendoline (5334).

S. 119 unten: Imperial War Museum Sound Archive: Spearman, William (9796).

S. 159 oben: Eye-Witness Hiroshima Hrsg. Adrian Weale (Constable & Robinson Ltd, Robinson © 1995).

S. 159 unten: Jim Corley.

Herausgeber und Verlag haben sich bemüht, die Rechteinhaber der einzelnen Texte ausfindig zu machen. Für Hinweise bei eventuell falschen oder vergessenen Angaben sind wir dankbar.

DANK UND BILDNACHWEIS